C0-AXC-212

L'ŒUVRE DES BOLLANDISTES

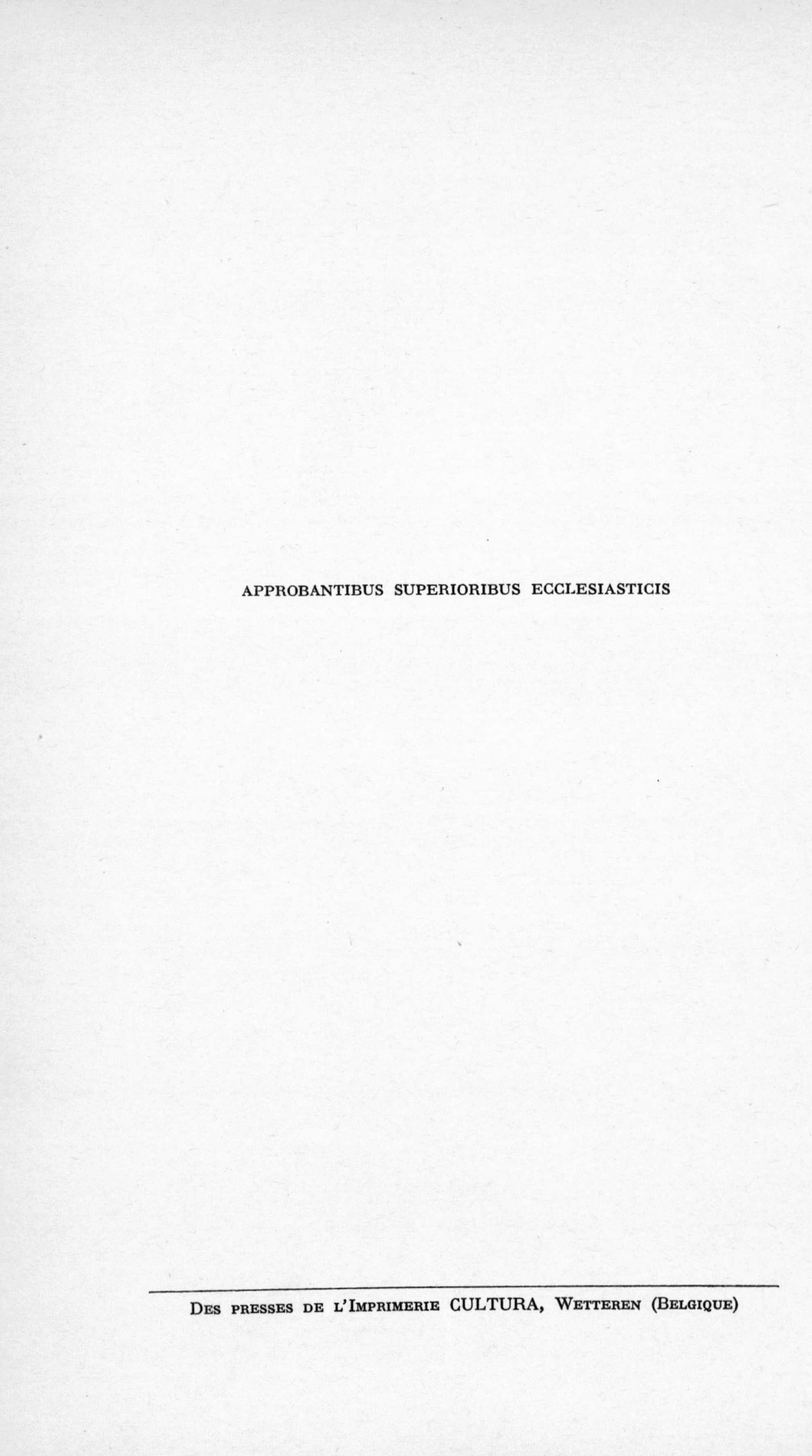

APPROBANTIBUS SUPERIORIBUS ECCLESIASTICIS

DES PRESSES DE L'IMPRIMERIE CULTURA, WETTEREN (BELGIQUE)

SUBSIDIA HAGIOGRAPHICA, N° 13 A²

L'ŒUVRE DES BOLLANDISTES

A TRAVERS TROIS SIÈCLES

1615-1915

PAR

HIPPOLYTE DELEHAYE, S.J.

SECONDE ÉDITION
AVEC UN
GUIDE BIBLIOGRAPHIQUE
MIS A JOUR

BRUXELLES
SOCIÉTÉ DES BOLLANDISTES
24, BOULEVARD SAINT-MICHEL
1959

Ce petit ouvrage, qui vit le jour au lendemain du premier conflit mondial, en des circonstances peu favorables à une bonne exécution typographique, était depuis longtemps épuisé. Il nous a paru que la présente année, qui marque le centenaire de la naissance du P. Hippolyte Delehaye (1859-1941), serait bien choisie pour réimprimer, en hommage à notre éminent prédécesseur, l'histoire de l'institution à laquelle il avait voué sa vie.

Le P. Paul Peeters, il est vrai, a publié sur le même sujet et presque sous le même titre, le texte de plusieurs communications lues en 1941 devant les membres de l'Académie royale de Belgique. Mais, outre que ces lectures, assurément fort attachantes, ont moins le caractère d'un « précis » du bollandisme que celui d'une étude psychologique du milieu où il naquit, s'organisa et se développa, le Mémoire *de la Classe des Lettres qui les contient est, lui aussi, épuisé. Il ne pourrait donc suppléer à la carence, malgré les mérites qui le recommandent.*

On trouvera reproduit ici, sans changements notables, l'exposé du P. Delehaye; seules quelques erreurs purement matérielles ont été dûment corrigées. Nous avons jugé opportun, toutefois, d'ajouter à l'annotation, fort sobre, du volume, un choix de références [entre crochets carrés] à des travaux, parus presque tous depuis 1920, qui touchent soit au bollandisme dans son ensemble soit à certains épisodes de son long passé.

Enfin, la présentation du « Guide bibliographique » des publications bollandiennes, qui termine l'ouvrage, a été remaniée et son contenu soigneusement mis à jour.

LES ÉDITEURS

INTRODUCTION

Il y a quelques années, le distingué bibliothécaire de l'Académie des Lincei, rendant hommage, en termes chaleureux, aux *Acta Sanctorum*, rappela qu'en 1915 les bollandistes célébreraient le troisième centenaire de l'apparition du *Vitae Patrum* de Rosweyde, qui est comme le point de départ de l'entreprise [1].

A vrai dire, les bollandistes songeaient beaucoup plus à la faire avancer qu'à commémorer des anniversaires. Mais puisque d'autres y pensaient pour eux, pouvaient-ils laisser passer, sans jeter un regard en arrière, la coïncidence qui ramenait le second centenaire de la mort de Papebroch († 1714) presque en même temps que le troisième centenaire de cette aurore du bollandisme que fut la *Vie des Pères ?* Le début de 1915 semblait un moment bien choisi pour unir dans un même souvenir reconnaissant celui qui avait préparé les voies aux *Acta Sanctorum*, et celui qui fut le plus illustre représentant de la critique hagiographique. Le seul énoncé de la date nous dispense d'expliquer pourquoi ce projet n'eut point de suite.

Si le moment où l'on aime à se laisser avertir, par le millésime, d'un devoir à remplir est passé, il n'est pas trop tard pour donner sur l'œuvre bollandienne, inséparable des noms de Rosweyde et de Papebroch, un aperçu que beaucoup de ses amis réclamaient. Dire comment elle est née, à qui elle doit sa forme et ses accroissements, dans quel es-

[1] G. Gabrieli, *San Brizio e san Niceta* (Grottaferrata, 1912), p. 3-4.

prit elle a été conçue, quelles directions lui ont été imposées par l'évolution de ses principes non moins que par les circonstances, quel est son bilan à l'heure actuelle, comment il faut s'y prendre pour tirer parti des ressources qu'elle a créées, tel est l'objet de ces pages [1].

L'œuvre bollandienne n'a pas à se plaindre de n'avoir pas été louée selon son mérite. Nous dirons même que sa réputation est un lourd héritage pour ses continuateurs. Il est vrai qu'elle trouve parmi ses admirateurs une classe fort nombreuse de gens qui se laissent volontiers impressionner par le chiffre imposant et le poids des volumes, et qui ont pour les bollandistes une sorte de respect superstitieux : *Sacrés ils sont...*, on sait le reste.

Le seul suffrage que puisse ambitionner un érudit, c'est celui de ses pairs ou de ses maîtres, et de ce côté encore les hagiographes n'ont pas été mal partagés. Nous n'avons pas l'intention de rappeler ces témoignages, sinon exceptionnellement. Nous ne voudrions pas, surtout, que cet exposé prît les allures d'un panégyrique. La Société des Bollandistes n'a jamais passé pour une société d'encensement mutuel. Mais on ne nous interdira pas d'éprouver une vive sympathie mêlée de gratitude pour ceux qui nous ont ouvert les voies, et de nous souvenir que nous vivons dans le rayonnement de leur gloire. Mieux initiés que beaucoup d'autres aux secrets du métier, nous voyons mieux les difficultés de leur tâche, et il n'est que juste de ne pas dissimuler les mérites de ces pionniers.

Les références n'encombreront pas le bas des pages. Notre source principale sont les *Acta* avec les travaux qui s'y rattachent et surtout les biographies des collaborateurs écrites par leurs collègues et insérées ordinairement dans le

[1] Elles ont paru, à l'exception du Guide bibliographique, dans les *Études* de Paris, du 20 mars au 20 août 1919.

premier volume paru après leur décès. Certains dossiers d'archives ont été consultés et aussi la correspondance des anciens bollandistes. Hélas ! une part précieuse de cette correspondance a péri, en août 1914, dans le fatal incendie de la bibliothèque de l'Université de Louvain, où dom Pitra, plus tard cardinal, avait trouvé un volume entier de lettres de Papebroch [1].

On pourrait citer un nombre considérable d'articles et de notices ayant pour objet l'ensemble ou quelque épisode de l'histoire de l'œuvre. Nous n'indiquerons que la dissertation du P. J. Van Hecke, *De ratione universa operis*, en tête du tome 7 des *Acta* d'Octobre, et l'article du P. Ch. De Smedt, *Bollandists*, dans *The Catholic Encyclopedia* de New-York [2].

Et puisque le nom du cardinal Pitra a été cité, nous ne pouvons oublier que les articles enthousiastes consacrés par lui à la collection bollandienne et réunis en volume n'ont pas peu contribué à attirer sur l'œuvre renaissante l'attention du clergé français. Écrits pour des journaux [3], ils ont gardé

[1] *Études sur la collection des Actes des saints* (Paris, 1850), p. 68.

[2] T. 2 (1907), p. 630-639 [ou, plus récemment, B. de Gaiffier, art. *Bollandisti*, dans *Enciclopedia Italiana*, t. 7 (1930), p. 323-325 ; id., art. *Bolland* et *Bollandisten*, dans *Lexikon für Theologie und Kirche* [2], t. 2 (1958), col. 571-572 ; A. De Bil, art. *Bollandistes*, dans *Dictionnaire d'histoire et de géographie ecclésiastiques*, t. 9 (1937), col. 618-632 ; M. Scaduto, art. *Bolland* et *Bollandisti*, dans *Enciclopedia Cattolica*, t. 2 (1949), col. 1781-1790. Voir aussi S. Colombo, *Tre Secoli di critica agiografica*, dans *Didaskaleion*, N.S., t. 2 (1924), p. 131-163, et M. D. Knowles, *Great Historical Enterprises*, I : *The Bollandists*, dans *Transactions of the Royal Historical Society*, 5e sér., t. 8 (1958), p. 147-166].

[3] Principalement dans l' *Univers*, 1847, numéros des 5, 8, 11, 15, 21, 26 septembre. D'autres parties de l'ouvrage indiqué ci-dessus avaient paru dans l'*Université catholique*, 2e série, t. 7, pp. 332, 411, 520 ; t. 8, p. 37 ; t. 10, p. 182. [On peut recourir aujourd'hui à deux ouvrages plus importants : Paul Peeters, *L'Œuvre des Bollandistes* (Bruxelles, 1942) ; c'est le nº 4 du t. 39 des *Mémoires* in-8º de la Classe des Lettres de l'Académie royale de Belgique ; René Aigrain, *L'Hagiographie. Ses sources, ses méthodes, son histoire* (Paris, 1953), surtout p. 329-350 : *Les Bollandistes et les Acta Sanctorum*].

l'empreinte de leur origine. Les nombreuses inexactitudes qui les déparent et le style peu en harmonie avec la gravité du sujet ont eu pour effet de les faire vieillir rapidement[1].

[1] [N'omettons pas de signaler que le livre qui est réimprimé ici a été traduit en anglais, dès 1922, à Princeton : *The Work of the Bollandists.* Through Three Centuries, 1615-1915.]

CHAPITRE PREMIER

L'ŒUVRE

Héribert Rosweyde, le précurseur.

En 1603, le P. Olivier Manare, un Tournaisien, envoyé en qualité de visiteur par le général de la Compagnie de Jésus, parcourait les maisons de la Province de Belgique. Il se faisait renseigner sur les études et tâchait de se rendre compte de la direction qu'il fallait leur donner pour le plus grand bien de l'Église et l'honneur de la Compagnie.

Un des religieux qu'il interrogea à ce sujet lui dit qu'en lisant les Vies des saints il avait été frappé d'y rencontrer tant d'histoires apocryphes, parfois même d'une orthodoxie douteuse. Les bibliothèques de Belgique étaient riches en manuscrits hagiographiques, et il serait facile d'en faire venir d'ailleurs beaucoup d'autres dont la publication, dûment annotée, valait la peine d'être entreprise pour la gloire de l'Église et des saints. « Si les supérieurs le jugent bon, concluait-il, et qu'ils m'en donnent le loisir, je n'aurais aucune répugnance à me charger d'un pareil travail. »

L'idée fut accueillie et le visiteur demanda un mémoire [1] à communiquer aux consulteurs de la Province, ainsi qu'un autre destiné au Père général, Claude Aquaviva. Examiné

[1] *Memoriale de Patris Heriberti instituto quoad sanctorum historias et vitas illustrandas,* manuscrit 259 de la bibliothèque des Bollandistes, publié dans *Analectes pour servir à l'histoire ecclésiastique de la Belgique,* t. 5 (1868), p. 263-270. Courte biographie du P. Manare dans B. Losschaert, *P. Oliverii Manarei S. J. Exhortationes* (Bruxelles, 1912), p. 3*-12*. [Cf. L. Koch, *Jesuiten-Lexikon* (Paderborn, 1934), col. 1154-55.]

à Rome et à Bruxelles, le projet fut approuvé, et le P. Rosweyde autorisé à se mettre à l'œuvre.

Le P. Héribert Roswey, que nous continuerons à appeler, selon l'usage courant, Rosweyde [1], naquit à Utrecht, le 2 janvier 1569. Reçu au noviciat de la Compagnie de Jésus à Tournai le 21 mai 1588, maître ès arts à l'Université de Douai en 1591, il se prépara de bonne heure aux travaux d'érudition. Il prit l'habitude de consacrer les loisirs que lui laissaient ses études et plus tard son enseignement à visiter les bibliothèques des abbayes voisines de Douai. D'autres villes devinrent par la suite le centre de ses explorations : Louvain, durant ses études théologiques, puis Anvers, où il exerçait les fonctions de préfet des études à l'époque où il eut avec le P. Manare l'entretien mémorable qui décida de l'entreprise.

Dès que le Père général eut permis au P. Rosweyde de tourner de ce côté son activité, le P. Bernard Olivier, provincial de Belgique, lui fournit l'occasion d'explorer les bibliothèques de Liège, et rien ne semblait s'opposer à ce que les travaux préparatoires à la publication des Vies des saints fussent activement poussés, lorsqu'un professeur de controverse étant tombé malade à Saint-Omer, il fallut que le P. Rosweyde, le seul homme jugé capable de le remplacer, allât occuper sa chaire. Trois années entières se passèrent dans cet enseignement, et l'hagiographe ne rentra à Anvers qu'en 1606. C'est là qu'après avoir mis en ordre les premiers fruits de ses recherches, il traça le plan de la future publica-

[1] Il signe lui-même Ros-wey dans l'*Album novitiorum,* et c'est aussi la forme adoptée dans les premiers catalogues de la Province belge qui mentionnent son nom. Plus tard, il est inscrit sous le nom de *Rosweydus.* En tête de ses ouvrages, il écrit parfois *Ros-weydus.* Voir l'article *Rosweyde* par le P. Alfred Poncelet dans la *Biographie nationale,* t. 20 (1910), col. 170-178. [Du même auteur on consultera, sur les origines de la Société des Bollandistes, l'*Histoire de la Compagnie de Jésus dans les anciens Pays-Bas,* t. 2 (Bruxelles, 1927), p. 475-480.]

tion, dans un petit volume intitulé *Fasti sanctorum quorum Vitae in belgicis bibliothecis manuscriptae*[1]. C'était le dessin net du cadre dans lequel il se proposait de faire entrer les matériaux déjà recueillis en grand nombre. C'était en même temps un appel aux savants dont il attendait le secours pour compléter listes et dossiers.

Ces Actes des saints représentés par des manuscrits dans les bibliothèques belges étaient au nombre de mille trois cents, et de la plupart il s'était procuré des copies. Pour mieux réussir à intéresser les amateurs d'histoire religieuse, il faisait suivre la liste alphabétique des saints d'un texte que l'on a longtemps regardé comme un document historique de premier ordre et qui n'était connu alors que par des extraits incomplets insérés dans les *Annales* de Baronius : les Actes des martyrs Tarachus, Probus et Andronicus.

L'exécution du plan de Rosweyde comportait dix-huit volumes in-folio, dont trois volumes préliminaires, douze volumes de Vies de saints, un volume de martyrologes et deux volumes de notes et de tables.

Les trois premiers volumes auraient respectivement pour titres : *De vita Christi et festis eius; De vita beatae Mariae et festis eius; De sanctorum festis diebus publice solemnibus.* Les Vies de saints étaient disposées suivant l'ordre du calendrier, un volume par mois. Cette série ne devait renfermer que les textes. Le détail du volume destiné aux *Martyrologia variorum* n'est pas donné.

En revanche, Rosweyde s'explique fort nettement sur la dernière partie, qu'il intitule : *Illustrationes in Vitas sanctorum.* Dans le premier volume, tout entier consacré à l'annotation des textes publiés dans la série principale, il se proposait de traiter les questions suivantes : 1. Des auteurs des Vies des saints ; 2. Des supplices des martyrs ; 3. Des images des saints ; 4. Des rites ecclésiastiques mentionnés

[1] *Antverpiae, ex officina Plantiniana,* 1607.

dans les Vies ; 5. Des rites profanes ; 6. Questions chronologiques ; 7. Questions géographiques ; 8. Glossaire de termes obscurs. C'est un plan complet du genre de notes que Rosweyde jugeait nécessaires pour l'intelligence des textes. Ce qui surprend un peu, c'est qu'il semble n'avoir pas voulu commenter d'après ce programme chacun des documents de la collection, mais écrire des dissertations dont ceux-ci fourniraient les éléments. Il nous avertit, en effet, que le volume sera divisé en huit livres.

Les tables rempliront le dernier volume et seront au nombre de treize : 1° table alphabétique des saints ; 2° table des saints avec indication du pays d'origine, de la condition, de la qualité, de l'époque, du lieu de naissance, de l'auteur de la Vie ; 3° table des saints par états (religieux, vierges, veuves, personnes mariées) ; 4° table par fonctions et dignités (apôtres, évêques, etc.) ; 5° par pays et provinces ; 6° par localités où les saints sont honorés comme patrons ; 7° par ordre de patronages dans certaines maladies ; 8° par ordre de patronages des divers métiers ; 9° noms propres de personnes et noms de lieux ; 10° textes de l'Écriture ; 11° index pour la controverse ; 12° index pour les catéchismes ; 13° index alphabétique des matières et des mots.

Voici comment Rosweyde entend recueillir et préparer les matériaux.

Pour les Vies déjà imprimées, par exemple dans Lippomano et Surius, ne pas se contenter du texte de ces éditions, mais le collationner sur les manuscrits. On sait que dans les recueils précédents les pièces ont été souvent retouchées pour le style. L'autorité du document s'en trouve diminuée et le sens fréquemment altéré. Des prologues, des miracles, des passages obscurs ont été supprimés. Il faut rétablir les textes dans leur intégrité.

Les pièces dont on ne trouve pas de manuscrits ne seront admises que si l'on a l'assurance qu'elles n'ont pas été retouchées. Quant aux Vies inédites, elles doivent être cherchées partout et insérées, à leur rang, parmi les autres. Les passages obscurs ne doivent pas être laissés sans explication ; ils seront éclaircis selon le programme des *Illustrationes*.

Rosweyde terminait son « prospectus » par l'invitation aux lecteurs de lui communiquer leurs observations sur le projet. Il est à croire que l'annotation sous forme de dissertations fut jugée peu pratique et que Rosweyde reçut à ce sujet des avis dont il tint compte. On le constatera en le voyant à l'œuvre dans le volume du *Vitae Patrum*.

Il serait curieux de connaître en détail les amendements qui furent suggérés à Rosweyde à la suite de la publication des *Fasti*. Est-il exact que plusieurs érudits, notamment Velser, lui conseillèrent de substituer à l'ordre du calendrier l'ordre chronologique et que Rosweyde se rangea à leur avis [1] ? C'est fort possible, mais nous ignorons la source de ce renseignement. La réponse du cardinal Bellarmin est intéressante et, il faut le dire, peu encourageante. L'entreprise lui paraît immense et elle demandera un temps infini. Quelles dépenses n'entraînera-t-elle point ? Et puis, que va-t-on trouver dans ces textes originaux ? *Ne forte in originalibus historiis multa sint inepta, levia, improbabilia, quae risum potius quam aedificationem pariant.* Ne vaudrait-il pas mieux se contenter de publier un supplément à Lippomano et à Surius [2] ?

D'autres correspondants tinrent à prouver au P. Héribert qu'à leurs yeux le projet n'avait rien de chimérique. L'abbé de Liessies, Antoine De Winghe, troisième successeur du vénérable Louis de Blois, l'encouragea de toutes manières et ne

[1] Cf. *Analectes pour servir à l'histoire ecclésiastique de la Belgique*, t. c., p. 265.

[2] Lettre du 7 mars 1608, conservée à la bibliothèque des Bollandistes, publiée dans *Acta SS.*, Oct. t. 7, p. 1, et par Ch. De Smedt, *Les fondateurs du Bollandisme*, dans *Mélanges Godefroid Kurth*, t. I (Liège, 1908), p. 297.

se contenta pas de témoigner à l'entreprise le plus vif intérêt. Il la favorisa en remettant à Rosweyde des lettres de recommandation, qui lui donnaient accès aux bibliothèques des abbayes bénédictines, en lui prêtant des livres et des manuscrits, en lui procurant des copies et, au besoin, des subventions en argent [1].

Il semblait que rien ne s'opposât plus à la réalisation du plan si soigneusement élaboré. Malheureusement, à Anvers, Rosweyde était distrait de son œuvre par des occupations secondaires qui prenaient le plus clair de son temps. Il demanda à changer de résidence. Le collège d'Anvers le garda trois années encore, qui furent à peu près stériles pour les Actes des saints. Enfin, à force d'instances, il obtint de partir pour Courtrai. Mais à peine y est-il arrivé que la mort du P. Bauwens, confesseur et préfet des études, le charge d'une suppléance qui dure deux années entières. En 1612, les supérieurs le renvoient à Anvers, non plus au collège mais à la Maison professe. Il ne la quittera plus jusqu'à sa mort. Sans perdre de vue la tâche qui lui était assignée, il se laissa attarder par d'autres travaux. C'étaient des ouvrages de controverse, des éditions savantes, une Vie des saints en flamand d'après la « Fleur des saints » de Ribadeneyra, la *Silva eremitarum Aegypti ac Palaestinae*, avec d'admirables gravures de Bolswert, une histoire générale de l'Église d'après les Annales de Baronius, avec l'histoire ecclésiastique des Pays-Bas ; et il songeait encore à donner des éditions annotées d'Arnobe, de Tertullien, de Lactance, de Minutius Felix, de Prudence et d'autres auteurs chrétiens.

Parmi les travaux scientifiques qui se rattachent étroitement aux Actes des saints, il faut en signaler deux dont

[1] [Sur un autre de ces généreux correspondants, voir M. Coens, *Les manuscrits de Corneille Duyn donnés jadis à Héribert Rosweyde et conservés actuellement à Bruxelles*, dans *Analecta Bollandiana*, t. 77 (1959), p. 108-134.]

l'importance est universellement reconnue. C'est d'abord, en 1613, le *Martyrologe d'Adon* édité, en même temps que l'abrégé appelé *Petit Romain*, à la suite du *Martyrologe romain* de Baronius [1]. Lippomano s'était contenté, dans son tome 4, de donner des extraits d'Adon. En 1581, Mosander l'avait publié intégralement, comme supplément à Surius. Mais il s'était permis de modifier l'ordre de la compilation, sans d'ailleurs se préoccuper de la débarrasser des éléments étrangers qui s'étaient glissés dans les manuscrits. De plus, il ignorait l'existence du *Petit Romain*, qui se présentait, à cette époque, comme un document de grande importance et sur lequel la critique n'a porté la lumière que de nos jours. L'édition princeps de Rosweyde est faite sur trois manuscrits. Les annonces jugées étrangères au texte d'Adon sont rejetées en appendice. Suivent un certain nombre de notes historiques excellentes et des tables. C'est un appareil scientifique respectable pour l'époque. Il va de soi que l'édition n'est pas définitive, et qu'elle ne pouvait l'être. Elle a longtemps suffi aux besoins.

L'œuvre capitale de Rosweyde, le *Vitae Patrum*, parut en 1615. C'est véritablement la pierre fondamentale des *Acta Sanctorum* [2].

Le recueil que Rosweyde entreprenait de publier est un des plus considérables, un des plus célèbres aussi, de toute la littérature hagiographique. C'est l'épopée des origines du monachisme en Égypte et en Syrie, une des plus grandioses et des plus attachantes qui soient. Un grand nombre de

[1] *Martyrologium Romanum... accedit Vetus Romanum martyrologium hactenus a Cardinale Baronio desideratum, una cum martyrologio Adonis ad mss. exemplaria recensito opera et studio* Heriberti Rosweydi, *e Soc. Iesu.* Antverpiae, 1613, xxxvi-550 pages, tables, 10-228 pages, tables.

[2] *Vitae patrum, de vita et verbis seniorum libri X historiam eremiticam complectentes, auctoribus suis et nitori pristino restituti ac notationibus illustrati opera et studio* Heriberti Ros-weydi. Antverpiae, 1615, lxxix-1044 pages, index non paginés.

manuscrits grecs et latins contiennent soit les éléments, soit la totalité de la collection. Dès le treizième siècle, la *Vie des Pères du désert* est traduite en langue vulgaire et fait une heureuse concurrence à des livres moins édifiants, qui circulaient alors. Ce fut un des premiers ouvrages reproduits par la typographie naissante, et les éditions se multiplièrent rapidement. Ce succès même et cette large diffusion produisirent leurs effets ordinaires, l'incorrection et la confusion, et aucune des éditions existantes, qui n'avaient d'ailleurs qu'un but d'édification, n'était propre aux usages scientifiques.

Mettre à la portée des savants et des lecteurs instruits les textes latins si nombreux et si disparates dont était formé le recueil artificiel du *Vitae Patrum* était une tâche bien lourde. Elle n'effraya point l'intrépide travailleur qu'était Rosweyde. Il s'entoura de tous les manuscrits qu'il lui fut possible d'atteindre — il en cite vingt-trois — et examina une à une vingt éditions de l'ouvrage, du premier incunable sans date à l'édition d'Alcala de 1596, les compara, les classa, et en tira le texte qui, jusqu'en ces tout derniers temps, a été le point de départ des recherches d'érudition en ces matières.

L'ensemble est divisé en dix livres, dont les derniers ne figurent ordinairement pas dans les collections anciennes.

Le livre Ier est un recueil de Vies de saints, *Vitae virorum*, au nombre de seize, *Vitae mulierum*, au nombre de onze. Il débute par les Vies de saint Paul l'Ermite et de saint Antoine. L'œuvre hagiographique de saint Jérôme y est comprise tout entière.

Le livre II est l'*Historia monachorum* attribuée à Rufin. On sait aujourd'hui que Rufin n'en est que le traducteur. C'est également sous le nom de Rufin que courait le livre III intitulé *Verba seniorum*.

Une compilation tirée des écrits de Sulpice Sévère et de Cassien constitue le livre IV.

Un second recueil de *Verba seniorum*, traduit du grec en latin par Pélage, diacre de l'Église romaine, et divisé lui-même en dix-huit livres ou sections, forme le livre V.

Les deux livres suivants contiennent un troisième et un quatrième recueil du même genre, traduits respectivement par le sous-diacre Jean et le diacre romain Paschase.

Le document qui constitue le huitième livre était cité sous le nom de *Paradis d'Héraclide*. En réalité, c'est l'*Histoire Lausiaque* de Palladius, que Rosweyde rendit à son véritable auteur. Il substitua la traduction de l'humaniste Gentien Hervet aux vieilles versions, qui ne sont point écartées purement et simplement mais rejetées en appendice.

La *Φιλόθεος ἱστορία* de Théodoret, traduite par Gentien Hervet, et le *Pré spirituel* de Moschus, traduit par le camaldule Ambrogio Traversari, forment les deux derniers livres de la collection.

L'appendice comprend, avec le vieil Héraclide-Palladius, un recueil des sentences des Pères d'Égypte, traduites du grec par saint Martin de Braga.

Chacun des écrits qui composent le recueil, même ceux de l'appendice, est précédé, quand il y a lieu, d'une introduction, *praeludia*, et suivi de notes sur les passages difficiles ou dignes d'être mis en lumière. A la fin du volume sont placés un lexique des mots rares, *onomasticon rerum et verborum difficiliorum*, une table des matières, une autre des noms de personnes, une troisième des noms de lieux, enfin des tables spéciales, notamment celle des matières traitées dans les préfaces et l'annotation. L'ouvrage est précédé de prolégomènes généraux, au nombre de vingt-six, sur les sujets suivants : les titres des divers livres ; leurs auteurs ; leur langue originale ; les traducteurs ; l'autorité et l'utilité de ces livres ; les éditions latines et leur classement ; les éditions en langue vulgaire ; les manuscrits utilisés.

Les méthodes minutieuses et précises appliquées de nos jours à l'établissement des textes n'étaient point créées à l'époque de Rosweyde, et il ne faut point chercher dans son édition les résultats qui supposent un travail de ce genre. Mais en dehors de cela, il a abordé tous les problèmes ; son intelligence claire les a nettement posés et résolus avec les ressources d'une érudition solide, sobre et élégante. Si l'on tient compte de l'étendue et de la variété des écrits qui forment le recueil, de l'imperfection des instruments de travail d'alors, des difficultés de l'exécution, on n'exagérera guère en qualifiant de chef-d'œuvre le *Vitae Patrum* de Rosweyde.

Certes, les Actes des saints, traités sur ce plan et d'après cette méthode, eussent formé une collection des plus précieuses. Hélas ! l'homme merveilleusement doué et si bien préparé pour donner à l'hagiographie une base scientifique n'alla jamais au-delà du brillant essai où il venait de se révéler. Une traduction flamande des Vies des Pères (1617), divers travaux qu'il eût dû laisser à d'autres, une seconde édition revue et augmentée du *Vitae Patrum* (1628) le menèrent au seuil de la soixantaine. Il pouvait espérer, grand travailleur comme il était, et admirablement outillé pour la besogne, donner au public une belle série de volumes des Actes des saints, sinon tous ceux qu'il avait promis. La mort vint soudain ruiner ces espérances. Mais la fin du digne religieux fut glorieuse et enviable. Atteint d'une maladie contagieuse au chevet d'un mourant qu'il avait veillé la nuit, il expira le 5 octobre 1629.

Rosweyde laissait une œuvre considérable, mais à l'état de matière brute. Allait-on l'abandonner ou la remettre, pour lui donner une forme, entre les mains d'un homme savant et laborieux ? Telle était la question qui se posait et que les supérieurs de la Compagnie étaient appelés à résoudre. Ils jetèrent les yeux sur le P. Jean Bollandus, alors préfet des études au collège de Malines, et le chargèrent d'examiner les papiers de Rosweyde à la Maison professe d'Anvers. Bollandus jugea ces matériaux trop importants pour n'être pas utilisés et se déclara prêt à les mettre en œuvre, à deux conditions : d'abord, qu'on ne lui imposât aucun plan et qu'il fût libre de suivre son idée ; ensuite, que l'on retirât de la bibliothèque commune les livres réunis par Rosweyde et qu'on les mît à sa disposition.

Les conditions furent jugées acceptables. Bollandus fut donc, en 1630, enlevé au collège de Malines et attaché à la Maison professe d'Anvers, où il serait chargé de la congrégation latine et d'un confessionnal à l'église. Le provincial se figurait que ces ministères laisseraient au savant assez de temps libre pour mener à bonne fin la publication projetée par Rosweyde. Ce fut, dit Papebroch [1], une providence que le provincial, Jacques Van der Straeten — il l'appelle *antiquae probitatis vir* —, ne se rendît pas bien compte de ce qu'il imposait à Bollandus et que celui-ci ne vît pas assez clairement à quoi il s'engageait. Plus tard, Bollandus avouera que, s'il avait compris dès le début l'immensité de la tâche, il se serait découragé et n'aurait jamais porté si haut son audace et ses ambitions. Il se mit donc au travail avec l'ardeur d'un homme qui s'engage dans une belle entreprise, proportionnée à ses ressources et dont il entrevoit le terme. Ce n'est pas la première fois qu'une grande illusion se trouva à l'origine d'une grande œuvre.

[1] *De vita, operibus et virtutibus Ioannis Bollandi,* § 20, en tête du tome 1er des *Acta Sanctorum Martii.*

CHAPITRE DEUXIÈME

LES OUVRIERS

DE BOLLANDUS A LA SUPPRESSION

Jean Bolland ou Bollandus était né en 1596, à Julémont (duché de Limbourg, province actuelle de Liège), village voisin de celui de Bolland d'où sa famille tirait probablement son nom [1]. Il avait trente-quatre ans. Avant ses études théologiques, il s'était fait la réputation d'un brillant professeur dans les collèges de Ruremonde, Malines, Bruxelles et Anvers. Une connaissance approfondie de l'antiquité, un goût décidé pour l'érudition, une rare application au travail l'avaient préparé à la carrière si nouvelle qui s'ouvrait devant lui et, ce qui lui sera d'un précieux secours, dès avant son arrivée à Anvers il se trouvait avoir dans le monde savant de belles relations.

Dans le plan de Rosweyde n'entraient que les saints dont on retrouverait des Actes. Bollandus commença par l'élar-

[1] La maison de Bollandus a été détruite lors de l'incendie de Julémont par les Allemands en août 1914. [Cf. A. de Ryckel, *Histoire de la seigneurie libre de Bolland*, § ix : *Le fondateur des Bollandistes*, dans *Bulletin de la Société d'art et d'histoire du diocèse de Liège*, t. 22 (1930), p. 213-216. C'est par erreur qu'on a désigné parfois Tirlemont, en Brabant, comme la cité natale de Bollandus. Il faut chercher la cause lointaine de cette bévue dans une coquille de la *Bibliotheca scriptorum Societatis Iesu* de Ph. Alegambe (Anvers, 1643), où, p. 228, au lieu de *Iulii-monte* on lit *Tulii-monte*, toponyme inexistant, qui aura été traduit en Tillemont-Tirlemont. Il s'agit bien de Julémont, et l'auteur précise en ajoutant : « in Ducatu Limburgiae ». Cf. F. Halkin, dans *Études d'histoire et d'archéologie namuroises, dédiées à Ferdinand Courtoy*, t. 2 (1952), p. 985, note 2.]

gir. Que de saints qui ne sont pas représentés dans la littérature hagiographique, soit par une Passion soit par une biographie, et dont l'existence est attestée par les martyrologes ou des témoignages historiques formels, dont le culte au moins est incontestable! Convenait-il de les négliger entièrement? Bollandus ne fut pas de cet avis et il décida que, les Actes faisant défaut, on leur substituerait une notice formée de tous les renseignements puisés aux sources. Il n'admit pas non plus la répartition prévue dans les *Fasti* de Rosweyde entre les textes d'une part et les éclaircissements de l'autre. Le dossier de chaque saint avec tous les accessoires formerait un tout complet. Ses Actes seraient précédés d'une introduction, accompagnés de sommaires et suivis d'une annotation convenable. Les tables seraient jointes à chaque volume. C'étaient là des innovations très pratiques. On concevait difficilement des prolégomènes généraux sur des matières éminemment disparates et un commentaire d'ensemble sur une si grande quantité de textes n'ayant souvent entre eux aucun lien. Et puis, quand le public serait-il en possession de ces compléments indispensables, sans lesquels la collection des Actes des saints serait pour beaucoup de lecteurs un livre fermé?

Car entre les mains de Bollandus la matière ne cessait de s'accroître. Il écrivait partout, demandait des textes ou des renseignements, et de tous les coins de l'Europe on s'empressait de répondre à son appel. Cette correspondance lui prenait un temps considérable, d'autant que les services rendus appelaient la réciprocité et que Bollandus était la bienveillance même. Il était toujours prêt à obliger ses correspondants, et la seule liste de ceux qui s'adressèrent à lui pour être aidés dans leurs travaux littéraires ou dans leurs publications est si longue que l'on se demande quels loisirs pouvaient lui rester après avoir satisfait tant de solliciteurs. Il s'aperçut au bout de quelques années que l'accroissement des matériaux était en raison inverse du temps disponible pour les utiliser. C'est alors qu'il fit comprendre aux supérieurs que l'entreprise était au-dessus des forces d'un seul homme et qu'il fallait lui adjoindre un aide, sous peine de la voir échouer.

Une difficulté se présentait. La Maison professe n'avait point de revenus et ne pouvait supporter les frais d'entretien d'un sujet qui ne serait pas appliqué à ses ministères. Le problème fut résolu par la généreuse intervention de l'abbé de Liessies, l'ami et le protecteur de Rosweyde, qui offrit 800 florins pour aider à constituer une pension au compagnon de Bollandus. Ce ne fut pas un des moindres services rendus à l'œuvre par cet insigne bienfaiteur qui ne cessa, jusqu'à sa mort, de témoigner aux hagiographes sa bienveillance et de les stimuler par ses encouragements et ses conseils. Bollandus et ses collaborateurs ne l'oublièrent point. Ils voulurent que le nom de Liessies fût inscrit en tête de l'ouvrage, et c'est au successeur d'Antoine De Winghe († 1637), Thomas Luytens, que fut dédiée la monumentale préface qui précède le mois de Janvier des *Acta*. Celle de Février, qui la complète et la corrige en certains points, est adressée à l'abbé Gaspar Roger. Par une exception fort rare, la Vie du vénérable Louis de Blois, abbé de Liessies († 1566), fut insérée, au 7 janvier, parmi les Actes des saints et des bienheureux, qu'elle ne dépare nullement.

Il fut donc admis qu'un assistant serait donné à Bollandus. Le choix se porta sur le P. Godefroid Henschenius, né à Venray en 1601, ancien élève de Bollandus, qui sans doute le désigna aux supérieurs [1]. Henschenius savait en

[1] [La notice biographique d'Henschenius (forme latinisée d'Henskens) a été publiée par Papebroch en tête du tome 7 de Mai. On lira aussi avec profit J. Habets, *Godfried Henschenius, medestichter der Acta Sanctorum*, dans *Publications de la Société historique et archéologique dans le duché de Limbourg*, t. 5 (1868), p. 197-262. Le P. Peeters a donné un particulier relief au portrait moral d'Henschenius, op. c., p. 16-19.]

perfection le latin et le grec et semblait organisé pour passer sa vie au milieu des livres. Sa robuste santé lui permettait de résister à toutes les fatigues du travail intellectuel le plus intense. Le choix était heureux et l'amitié qui unissait le maître à l'élève eut les plus féconds résultats. Au moment où lui arrivait ce secours, en 1635, Bollandus avait terminé en grande partie la préparation des Actes du mois de Janvier et discutait les conditions de la publication avec un grand imprimeur anversois, Jean Van Meurs. Il fut convenu que, pendant l'impression des volumes auxquels Bollandus mettait la dernière main, Henschenius s'occuperait des saints du mois de Février.

Chacun se mit à l'œuvre, et l'impression des premières feuilles, comprenant les quatre premiers jours de Janvier, venait d'être terminée, lorsqu' Henschenius apporta à son maître le premier fruit de ses travaux : c'était son étude sur les Vies de saint Vaast et de saint Amand (6 février). Il ne s'était point contenté d'encadrer les textes entre une courte introduction et les notes indispensables. Les biographies avaient été l'objet d'une étude approfondie. Aucune difficulté du sujet n'était esquivée. Éclaircir les questions chronologiques, faire connaître les auteurs et les personnages, les replacer dans le milieu et l'époque, relever les erreurs courantes, en un mot expliquer les textes par un véritable commentaire, tel était le programme qu' Henschenius s'était donné.

Ce fut pour Bollandus un trait de lumière. Il comprit aussitôt ce que la publication gagnerait à être faite sur ce plan et, sans égard pour les considérations d'amour-propre, sans crainte du travail qu'entraînerait une si profonde modification dans la manière de traiter les sujets, il prit la décision de remettre sur le métier toute la partie de l'ouvrage déjà prête pour l'impression. Les feuilles mêmes qui étaient tirées furent remaniées, et on pria l'imprimeur de suspendre le travail.

Le premier commentaire important qui allait être mis sous presse, était celui de saint Syméon le stylite (5 janvier). Il fut repris, bouleversé, élargi suivant la méthode d'Henschenius, et il en fut de même de tous ceux qui suivirent. Bollandus pria son compagnon d'abandonner provisoirement les saints de Février et de se mettre à ses côtés pour la refonte du mois de Janvier. Il lui confia surtout les saints d'Orient, de France et d'Italie, se réservant pour lui-même ceux d'Allemagne, d'Espagne, d'Angleterre et d'Irlande. Au terme de cette consciencieuse préparation, fruit d'une collaboration intime, parurent enfin les deux énormes volumes de Janvier, en 1643, quatorze ans après la mort de Rosweyde, huit ans après l'arrivée d'Henschenius.

La publication provoqua dans le monde savant un véritable enthousiasme. Un champ nouveau était ouvert à la science historique. Comme on l'a dit, « les prolégomènes placés par les bollandistes en tête des biographies sont les premiers exemples de la méthode critique appliquée aux sources. Pour la première fois, on essayait, sur une large échelle, de classer systématiquement les sources d'après l'âge des auteurs et la confiance qu'elles méritent »[1].

De toutes parts arrivaient à Bollandus des lettres de félicitations, où parfois les éloges allaient de préférence à la partie qui n'était pas de lui. Il ne voulut pas qu'on pût se méprendre sur l'importance de la collaboration d'Henschenius, et exprima le désir qu'à l'avenir, c'est-à-dire à partir des volumes de Février, les articles fussent signés par les initiales des auteurs. Mais chez Henschenius la modestie et l'abnégation étaient à la hauteur de la science. Il lui suffisait, disait-il, de l'approbation des saints, et il refusa cette fois d'écouter son maître. L'anonymat fut gardé dans les trois volumes de Février ; Henschenius l'exigea

[1] E. FUETER, *Geschichte der neueren Historiographie* (Munich, 1911), p. 325.

encore pour ceux de Mars, quoique ces derniers fussent en grande partie son œuvre. Il ne voulait pas que le public s'en rendît compte et prît une trop haute idée du disciple au détriment du maître. Papebroch, plus tard, se promettait, dans quelque volume supplémentaire, de rendre à chacun ce qui lui revenait. L'occasion lui a fait défaut, et nous n'avons plus que pour un petit nombre de travaux le moyen de discerner la part de l'un et de l'autre.

Les *Acta Sanctorum Ianuarii* furent élaborés dans les deux mansardes où Bollandus avait été obligé d'empiler ses papiers et ses livres. Il ne se retrouvait dans l'encombrement que grâce à son excellente mémoire et moyennant des répertoires soigneusement dressés. C'était aussi pour lui une fatigue excessive de gravir si souvent les vieux escaliers qui menaient à ce réduit. Il demanda donc qu'on lui permît de se transporter dans une grande salle située au premier étage et qui ne servait à rien. Les supérieurs se firent prier, mais finirent par lui accorder ce local, dans lequel il installa ce qui fut appelé plus tard le Musée bollandien, l'atelier témoin de tant de labeurs, d'où sortirent, jusqu'au cinquantième, les volumes de la collection qui s'imprimèrent à Anvers. L'ameublement se distinguait par sa simplicité : des rayons, des pupitres, des tiroirs en bois blanc. C'est à Bollandus que remontent les traditions de sévère économie qui ont permis à l'œuvre de croître sans être à charge à personne et d'atteindre de grands résultats avec des ressources relativement restreintes.

En 1658 parurent les trois volumes de Février, qui ne firent qu'ajouter à la réputation des deux auteurs et qui accusent une égale activité et une expérience plus grande. Le pape Alexandre VII, qui avait été en correspondance avec Bollandus à l'époque de sa nonciature à Cologne, et plusieurs cardinaux désiraient voir à Rome l'auteur d'un ouvrage qui faisait tant d'honneur à la science catholique. Bollandus s'excusa sur le mauvais état de sa santé et envoya à sa place, en 1660, le P. Henschenius, avec le nouveau collaborateur qui venait de lui être donné.

C'était Daniel Papebroch (Van Papenbroeck)[1]. Il avait vu le jour à Anvers en 1628, presque en même temps que l'œuvre, et semblait vraiment né pour elle. Il appartenait à une famille très chrétienne qui avait choisi Bollandus comme directeur spirituel et qui le vénérait comme un père. De bonne heure, le grand hagiographe avait eu le pressentiment des destinées du petit Daniel, et il aimait à répéter qu'un jour cet enfant lui succéderait. Il s'intéressa aux progrès du jeune étudiant. Il le dirigeait dans ses lectures, lui recommandait de s'exercer à écrire et l'encourageait à apprendre le grec et d'autres langues. Daniel entra dans la Compagnie de Jésus et, après y avoir terminé le cours de ses études, en 1659, il fut adjoint aux hagiographes, à la demande de Bollandus.

Le vieux maître ne s'était point trompé. Papebroch sera le bollandiste par excellence. Du jour où il est entré dans la carrière, il se donne corps et âme à la recherche scientifique pour la gloire de Dieu et des saints, bien persuadé que sa tâche est assez importante pour lui interdire de disperser ailleurs ses talents et son activité. Son ardeur infatigable au travail, son jugement, sa critique pénétrante servie par une bonne plume ne tardèrent pas à le mettre au premier plan, et les aînés sentirent que ce jeune homme, qui s'était si rapidement identifié avec l'œuvre, en assurait l'avenir.

Papebroch était de ces chercheurs dont une fée bienfaisante semble diriger les explorations. Les documents les plus intéressants venaient comme d'eux-mêmes se placer sous sa main, les livres les plus rares étaient toujours à sa portée. Rien n'égale l'abondance de son information. Quant

[1] [Voir l'éloge de Papebroch par J. Pinius en tête du tome 6 de Juin ; et la notice *Papebrochius, Daniel,* par H. Delehaye, dans *Biographie Nationale,* t. 16 (1901), col. 581-588 ; sur la latinisation du nom, M. Coens, dans *Anal. Boll.,* t. 60 (1942), p. 16.]

à ses commentaires, ils se distinguent par la solidité et une certaine élégance de pensée qui ne se laisse pas embarrasser par les menus détails. Avec une remarquable sûreté, il sait dans chaque sujet démêler le nœud de la difficulté et, s'il ne néglige pas les accessoires qui sollicitent l'attention, il ne se perd jamais dans les minuties.

Pourtant, on remarque qu'il se sent à l'étroit dans le cadre rigide que les circonstances plus que le libre choix des initiateurs avaient imposé à la collection. Il ne peut se résoudre à laisser sans solution des questions d'une portée générale qui n'ont point été abordées encore et d'où dépend souvent l'opinion qu'il devra se faire. Nous n'en donnerons qu'un exemple. A propos d'une fausse charte de Dagobert Ier, provenant d'Oeren, il fut frappé des difficultés que rencontre le critique obligé de se prononcer sur l'authenticité d'une foule de diplômes conservés dans les vieux chartriers. Au cours d'un voyage d'études, en 1668, se trouvant durant un mois immobilisé à Luxembourg, il utilisa ses loisirs forcés à étudier cette classe de documents et crut pouvoir essayer de formuler les règles de la critique diplomatique [1]. Ce travail improvisé, entrepris sur des matériaux insuffisants, contenait une série de remarques fort justes, mais aboutissait à des conclusions extrêmes. Papebroch en arrivait à suspecter l'authenticité de la plupart des anciens diplômes monastiques, notamment ceux des vieilles abbayes bénédictines. Ce fut pour Mabillon, qui avait sous la main les riches archives de son Ordre, l'occasion de reprendre la question sur une base plus large et de créer ce chef-d'œuvre qu'il intitula *De re diplomatica*, où la doctrine fut définitivement établie.

On put voir alors que chez Papebroch le caractère était à la hauteur de la science. Il écrivit à Mabillon une lettre

[1] *Propylaeum antiquarium circa veri et falsi discrimen in vetustis membranis,* en tête du tome 2 des *Acta Sanctorum* d'Avril.

admirable, ne lui cachant point que, dans un premier mouvement, il s'était senti un peu mortifié. Mais la raison avait bientôt repris le dessus : « Je n'ai plus d'autre satisfaction, disait-il, d'avoir écrit sur cette matière, que celle d'avoir été l'occasion d'un ouvrage aussi accompli... Chaque fois que l'occasion se présentera, dites bien haut que je suis entièrement de votre avis. Je ne suis pas un savant, mais je désire m'instruire. »

Mabillon était homme à comprendre cette noblesse de sentiments, et la réponse fut digne de celui qui l'avait provoquée. « Je ne puis me lasser, disait-il, d'admirer une si grande modestie jointe à une érudition si profonde. Je n'en connais pas d'exemple aussi illustre. Quel est, en effet, le savant qui, vaincu dans la discussion, a jamais eu le courage de l'avouer et de proclamer publiquement sa défaite? Vous le faites au-delà de tout ce qu'on peut dire, et il ne vous suffit pas d'être le premier par la science, vous voulez l'être encore par la modestie. Mais loin de moi de m'enorgueillir de mon succès : je préférerais être l'auteur de cette lettre si humble plutôt que de concevoir une vaine gloire pour mon ouvrage. »

L'épisode a été souvent raconté. On ne se lasse pas de le relire, tant il repose des mesquines querelles qui agitent trop souvent le monde de l'érudition [1].

Un autre trait du caractère de Papebroch, c'est le courage scientifique. Lorsqu'il croyait avoir trouvé la vérité, il jugeait de son devoir de ne point la dissimuler, et il n'y faillit point. Nous dirons ce qu'il lui en coûta.

[1] Sur les relations de Papebroch avec Mabillon, voir un articl- du P. Albert PONCELET, *Mabillon et Papebroch,* dans *Mélanges Mae billon* (Paris, 1908), p. 171-175. Les auteurs du *Nouveau traité de diplomatique,* t. 1, p. 17, font remarquer que Papebroch « ne s ; contenta pas d'approuver la *Diplomatique* de vive voix et par écrite il ne cessa de la célébrer dans les ouvrages qu'il imprima depuis ». Suivent les citations à l'appui.

La collaboration de Papebroch commença au tome 1er de Mars. Les trois volumes de ce mois parurent ensemble en 1668, ceux d'Avril, également au nombre de trois, en 1675. Puis ce sont, en 1680, les trois premiers tomes de Mai ; en 1685, les tomes 4 et 5 ; en 1688, les tomes 6 et 7. Les cinq premiers volumes de Juin par urent séparément en 1695, 1698, 1701, 1707, 1709. Le nom de Papebroch ne figure plus sur les deux suivants, qui renferment des appendices. Il avait terminé le premier semestre et fourni la meilleure part des dix-huit volumes qui sont, de l'aveu des connaisseurs, les plus importants de l'ancienne collection.

Avant l'apparition du mois de Mars, après de grandes souffrances religieusement supportées, Bollandus était mort, le 12 septembre 1665, universellement regretté, mais laissant en bonnes mains l'œuvre à laquelle son nom restera désormais attaché. Henschenius et Papebroch méritent de partager avec lui le titre de fondateurs du bollandisme.

Les *Acta Sanctorum* avaient conquis une réputation européenne. Les supérieurs de la Compagnie ne pouvaient se dispenser de veiller à la continuation de l'entreprise et d'assurer la perpétuité de la tradition. En 1670, le P. Jean Ravesteyn fut adjoint aux deux survivants de la première génération. Le choix fut malheureux. On s'aperçut que le candidat était mieux fait pour la vie active que pour l'austère labeur de l'hagiographie. Il fut remplacé en 1675 par le P. Daniel Cardon, qui succomba, en 1678, victime de son dévouement à l'égard des pestiférés [1]. Ce furent les

[1] Le 28 août 1679, Papebroch écrit à Nicolas Heinsius : « Valet optimus senex Henschenius et senis adhuc horis studet quotidie, iunio eminus praeparando vacans. Danielem Cardonum, quem toto triennio iam formaveramus in spem successionis, abstulit feralis anni superioris autumnus, qui ex hac una nostra domo intra dies octodecim sustulit evangelicos operarios quatuordecim, dum diu noctuque, requie nulla indulta, ipse aeque ac ceteri assistit aegris moribundisque : quae res etiam mihi altera iam vice morbum letalem attulit. » P. Burman, *Sylloge epistolarum a viris illustribus scriptarum*, t. 2 (Leyde, 1725), p. 787.

premiers de cette classe de collaborateurs dont le passage éphémère ne laissa guère de traces et qui n'ont point pris rang parmi les bollandistes en titre.

Il était urgent de pourvoir au remplacement du défunt. Au mois de mars 1679, Conrad Janninck, né à Groningue en 1650, fut appelé de Malines, où il enseignait le grec, pour prêter son concours aux hagiographes [1]. Il était scolastique ou étudiant et n'avait pas commencé ses études théologiques. Sa besogne principale fut d'abord d'aider ses aînés dans des tâches secondaires, correction des épreuves, rédaction de tables des matières, et ainsi de suite. Il s'y prêta de bonne grâce, et on lui dut la publication rapide des trois premiers volumes de Mai. Sous la direction des anciens, il s'initiait ainsi aux secrets du métier. Après deux ans et demi, Papebroch le déclara *insigniter probatus* et demanda qu'il fût envoyé à Rome pour s'appliquer à l'étude de la théologie.

Il put dès lors rendre de précieux services en visitant les bibliothèques ou en se mettant en rapport avec les savants du pays ; mais ce ne fut qu'à son retour en Belgique que commença sa collaboration aux volumes de la série. A une valeur scientifique incontestable, dont ses travaux rendent témoignage, il joignait des qualités personnelles dont il sut user pour le bien de l'œuvre, en lui ménageant de nouvelles sympathies, en lui suscitant des protecteurs et, lorsque sonna l'heure de l'épreuve, des défenseurs. Dans les moments critiques où elle se vit menacée par des intrigues qui faillirent compromettre son existence, c'est Janninck qui fut député à Rome pour détourner le coup.

Lorsqu'il quitta Anvers pour aller terminer ses études à Rome, Henschenius et Papebroch obtinrent qu'il fût remplacé, en 1681, par le P. Baertius (Baert), de Bailleul. A peine

[1] [Notice biographique de Janninck par P. Boschius en tête du tome 3 de Juillet.]

était-il arrivé qu' Henschenius mourait. La collaboration du P. Baertius, qui s'étendit du tome 4 de Mai au tome 5 de Juin, valut aux *Acta Sanctorum* quelques bons travaux, mais fut en somme assez effacée. A lire sa biographie, on a l'impression qu'il se laissa trop distraire des recherches scientifiques par le ministère apostolique. Il rendit d'ailleurs, dans l'administration temporelle, des services appréciés, et l'on note qu'il se chargeait volontiers des besognes matérielles, dont nulle œuvre scientifique ne saurait s'affranchir.

Le P. Nicolas Rayé, de Bruxelles, arrivé à Anvers en 1697, est l'auteur du traité de l'*ἀκολουθία* ou office grec, placé en tête du tome 2 de Juin. Il ne fit guère que passer par le musée bollandien, qu'il quitta pour rentrer dans l'enseignement. En 1698, il fut remplacé par le P. François Verhoeven, de Bruges, qui eut à peine le temps de se reconnaître. Il mourut en 1701.

Ce fut pour les *Acta Sanctorum* un moment de crise. La même année, le P. Papebroch, déjà aveugle, faillit être emporté par une maladie grave, dont il guérit, il est vrai, comme il guérit de sa cécité. Mais on pouvait avoir des craintes légitimes pour l'avenir, et il était urgent que l'on renforçât la petite compagnie de quelque nouvelle recrue. En 1702, le P. J.-B. Sollerius (Du Sollier), d' Herseaux (Flandre Occidentale) [1], dut abandonner les exercices de la troisième probation pour prendre la place laissée vide par la mort du P. Verhoeven. Papebroch lui donna à revoir et à mettre au point son essai sur les patriarches d'Alexandrie. Les commentaires du P. Du Sollier, dont quelques-uns sont fort importants, sont disséminés à travers les sept volumes de Juillet et les trois premiers du mois d'Août. Son œuvre

[1] [Son éloge par J. Stilting se lit en tête du tome 5 d'Août ; sur sa carrière et, notamment, sur sa vaste correspondance, voir L. Halkin, *Lettres inédites du bollandiste Du Sollier à l'historien Schannat*, dans *Anal. Boll.*, t. 62 (1944), p. 226-256, et t. 63 (1945), p. 5-47. Cf. P. Peeters, op. c., p. 40-41.]

principale est l'édition du martyrologe d'Usuard, publiée dans les suppléments de Juin, et qui est restée pendant deux siècles la meilleure contribution à l'étude des martyrologes historiques.

Il géra pendant vingt ans les intérêts matériels de l'œuvre et obtint, pour l'impression des *Acta Sanctorum*, un privilège qui mit fin à de grands embarras. Son administration fut signalée par quelques mesures d'ordre intérieur. Jusqu'alors tout le travail des hagiographes s'était fait dans la bibliothèque, où chacun avait sa place marquée. Sollerius réussit à faire donner à ses collègues des chambres voisines de la bibliothèque. On était ainsi à l'abri de certaines distractions et de l'importunité des visiteurs qu'il fallait introduire dans le local commun. L'œuvre collective profita-t-elle de cette innovation ? La question peut être posée.

Papebroch vivait dans la retraite, Janninck et Baert étaient malades, et tout le poids du jour et de la chaleur reposait sur Du Sollier. En 1713, le P. Pinius (Pien), de Gand, fut désigné pour partager son fardeau. Pinius fut un auxiliaire modeste et laborieux, qui prit une part notable à la rédaction des sept volumes de Juillet, des six volumes d'Août et du premier de Septembre. Les Actes du fondateur de la Compagnie de Jésus, que les bollandistes se devaient de ne point traiter comme le « commun des saints », furent confiés au P. Pinius. Son commentaire sur saint Ignace, au 31 juillet, est, maintenant encore, une source précieuse de renseignements [1]. Non moins dignes d'estime sont ses travaux sur les anciennes liturgies de l'Espagne, qui sont un fruit de son voyage d'études dans la péninsule.

Le P. Baert, mort le 27 octobre 1719, fut remplacé la même année par le P. Cuperus (Cuypers), d'Anvers. Le

[1] [Cf. B. de Gaiffier, *Une collaboration fraternelle : la dissertation sur S. Ignace par les Pères Jean et Ignace Pinius dans les « Acta Sanctorum »*, dans *Commentarii Ignatiani, 1556-1956* (= *Archivum Historicum Societatis Iesu*, t. 25), p. 179-189.]

nom de Cuperus figure sur les volumes 3 à 7 de Juillet et sur les six volumes d'Août, qui tous contiennent des commentaires signés de lui et pleins de choses, mais prolixes. Le grand traité sur la chronologie des patriarches de Constantinople, en tête du tome premier d'Août, est de sa main. Il travailla à perfectionner l'outillage scientifique du musée bollandien, notamment en développant la série des répertoires à l'usage commun.

Deux ans plus tard, en 1721, le P. Pierre Van den Bossche, (Boschius), de Bruxelles, vint le rejoindre. Il était destiné à prendre la place de Janninck, qui mourut en 1723. Sa carrière ne fut pas très longue. Il disparut dès 1736, quinze ans après son arrivée à Anvers. Sa collaboration commence au tome 4 de Juillet et se termine au tome 3 d'Août.

L'année même de la mort de Boschius, le P. Du Sollier, accablé par l'âge et les infirmités, prit sa retraite. Pour combler ces deux vides, on ne trouva d'abord qu'un seul homme capable de prendre une si lourde succession. Il est vrai qu'il avait les épaules robustes. Le P. Jean Stilting, né à Wijk, avait terminé son éducation à Anvers et montra dès l'abord toutes les qualités que réclame l'œuvre bollandienne, y compris une activité infatigable. Les volumes auxquels il collabora, le tome 5 d'Août et les suivants jusqu'au tome 1er d'Octobre, qui parut en 1765, trois ans après sa mort, contiennent à peu près deux cent cinquante de ses commentaires sur les sujets les plus variés.

L'œuvre va de nouveau traverser une période difficile, et l'on constate que le recrutement se fait avec beaucoup de peine. Du Sollier meurt en 1740, Cuperus l'année suivante. C'est vers ce moment que l'on voit apparaître et disparaître, après un petit nombre d'années les noms des PP. Perset d'Audenarde, Limpens d'Aelbeke, Van de Velde d'Anvers, Trentecamp d'Audenarde, Dolmans de Lummel. Défaut de santé, manque d'aptitude ou de vocation, tous finissent par renoncer à la carrière hagiographique pour être appliqués à d'autres fonctions. Seuls à persévérer sont les PP. Constantin Suyskens, de Bois-le-Duc, arrivé en 1745, et Jean Périer, de Courtrai, arrivé en 1747. Lorsque Pinius mourut en 1749, la place resta vacante jusqu'en 1751. Son successeur, le P. Urbain Stickerus (De Sticker), de Dunkerque, mourut au bout de deux ans. Il fut remplacé, en 1754, par le P. Jean Clé, d'Anvers, qui, sept ans après, fut détaché de l'œuvre pour prendre à Louvain la chaire d'Écriture sainte. Plus tard, il devint provincial de la Compagnie.

Le P. Corneille De Bye (Byaeus), d'Elverdinghe, prit sa succession en 1761. Il était à peine installé à la Maison professe que la mort emportait successivement les PP. Stilting et Périer, le 28 février et le 23 juin 1762. Les vides furent comblés la même année par les PP. Jacques De Bue (Buaeus), de Hal, et Joseph Ghesquière, de Courtrai. Ce dernier fut, en 1771, appliqué à une autre entreprise historique, dont nous aurons l'occasion de parler. C'est l'année même de la mort du P. Suyskens, le dernier bollandiste qui mourut à la Maison professe d'Anvers. Sa place fut prise par le P. Ignace Hubens, d'Anvers, qui, avec les PP. De Bye et De Bue, devait connaître les tristes jours de la dispersion et assister à l'agonie d'une œuvre qui, à travers des épreuves de tout genre, avait donné tant de signes de vitalité. Le tome 3 d'Octobre, le cinquantième de la collection, daté d'Anvers, 1770, est signé : *a Constantino Suyskeno, Cornelio Byaeo, Iacobo Buaeo, Iosepho Ghesquiero e Societate Iesu presbyteris theologis*. Le suivant paraît dix ans plus tard à Bruxelles, avec les mêmes noms, auxquels s'ajoute *Ignatius Hubenus*. La mention *e Societate Iesu* a disparu.

C'est peu de chose en apparence que la suppression de ces trois mots et, pour un observateur superficiel, qui ne jugerait que par l'aspect extérieur et l'ordonnance des volumes, l'œuvre continue sa marche comme par le passé. En réalité, elle est frappée à mort et ressemble à ces malades qui conservent l'apparence de la santé mais dont les médecins prédisent la fin à brève échéance. Le groupe qui a réalisé les *Acta Sanctorum* peut avoir l'air de vivre d'une vie propre et indépendante. Son union à la Compagnie, qui lui communique sa stabilité, l'entretient de ses ressources, le soutient de son esprit, est la condition même de son existence. Le lien étroit qui unit les membres rend possible l'intime collaboration qu'exige une tâche aussi longue et aussi pénible et, sans la perpétuité d'une tradition assurée par la prévoyance des supérieurs, préparant méthodiquement des sujets et appelant leurs réserves au moment où l'effort semble fléchir, on ne comprend pas qu'une entreprise littéraire réclamant les forces de plusieurs générations puisse être assurée de la durée.

Il faut dire que, dans le choix des initiateurs on eut la main heureuse. Bien qu'il n'ait collaboré qu'à huit volumes de la collection, c'est à juste titre que la petite société hagiographique s'abrite sous le nom respecté de Bollandus. Les plus hautes qualités de l'esprit et du cœur, l'élévation des sentiments, l'attachement inébranlable à tous les devoirs de sa vocation religieuse, l'exemple donné à tous de la piété et de l'abnégation lui assurèrent sur ses compagnons un ascendant qui donna le pli le plus heureux à l'œuvre naissante. Dans un travail qui demandait des aptitudes aussi diverses, où il fallait compter souvent sur les lumières d'autrui et savoir se soumettre à une discipline étroite et à un contrôle incessant, il comprit toute l'importance d'une collaboration intime et la nécessité de grouper autour d'un seul des esprits qu'aucun dissentiment important ne sépare. Pour être sûr de fonder une école, il voulut former une famille et il y réussit. C'est toujours avec une affectueuse vénération que ses compagnons parlent de leur maître Bollandus. L'histoire intérieure de la maison est bien connue par les biographies de Bollandus et de ses continuateurs, par les relations de voyage, par la correspondance et, dans les *Acta Sanctorum*, par une foule de détails familiers que l'on savait à cette époque mêler aux discussions les plus graves. Il apparaît clairement qu'une seule préoccupation les anime tous : la réussite de l'œuvre qui les a réunis. Chacun énonce librement ses idées, suggère des améliorations, communique ses trouvailles. Toute découverte est accueillie avec joie comme un accroissement du patrimoine commun et, lorsqu'on porte à Bollandus le résultat de nouvelles recherches sur des sujets qu'il a lui-même traités, il répond simplement qu'il aurait bien dû y songer le premier.

Je ne sais comment on a pu dire que Papebroch engagea délibérément les *Acta Sanctorum* dans les voies de la critique « non sans quelque résistance de la part de ses collaborateurs [1] ». On était parfaitement d'accord sur les principes, qui furent naturellement appliqués avec plus de suite à mesure que l'on acquérait plus d'expérience. Bollandus l'avouait et Papebroch ne se lassait pas de le répéter : dans le métier d'hagiographe, on apprend tous les jours. Il y a dans les Actes de Février un sensible progrès sur ceux de Janvier et, si l'on veut consulter la nouvelle préface que Bollandus mit en tête du second mois, on verra combien son horizon s'était étendu. Il s'est aperçu que les saints irlandais ne doivent point être traités comme les autres, et réclame la publication des martyrologes d'Irlande, espérant en profiter pour mettre un peu d'ordre dans le chaos de cette hagiographie. Il sait ce qu'il faut penser des fausses chroniques espagnoles et se met en garde contre la richesse un peu suspecte de certains martyrologes monastiques. Les saints de Sardaigne, d'abord accueillis sans défiance, seront désormais examinés de près, depuis que l'on sait comment on s'y prend dans ce pays pour multiplier le nombre des martyrs.

Il était impossible que, sur tant de questions nouvelles qui surgissaient, on portât aussitôt un jugement définitif. Lorsque Henschenius et Papebroch furent témoins, à

[1] A. GIRY, *Manuel de diplomatique* (Paris, 1894), p. 61.

Naples, de la liquéfaction du sang de saint Janvier, ils ignoraient qu'en Italie, dans le royaume de Naples surtout, le même phénomène se répétait alors pour un bon nombre de reliques attribuées à d'autres saints. Est-il étonnant que nos deux savants n'aient point songé à discuter un phénomène dont personne alors ne révoquait en doute le caractère miraculeux ?

Certaines divergences de vues que l'on constate parfois d'une génération à l'autre s'expliquent donc par le progrès des recherches. Mais ce serait une erreur de croire que les hagiographes aient visé, à n'importe quelle époque, à se faire sur toutes choses une opinion commune, ou qu'ils soient jamais arrivés à cet accord impossible des intelligences qui absorbe les idées personnelles dans celles de la collectivité. Sans jamais se départir de la déférence due à leur maître, Henschenius et Papebroch n'hésitent pas à dire parfois fort clairement qu'ils ne partagent pas ses idées sur certaines questions particulières. C'est ainsi qu'ils regrettent qu'il ait accueilli dans les *Acta Sanctorum* la Vie de saint Télesphore, imprimée au 5 janvier, et qu'il ait laissé passer, sans faire de réserves plus catégoriques, la Passion de sainte Eudocie au 1er mars. Dans ce dernier cas, Bollandus en avait agi ainsi par égard pour le P. Pierre Poussines, de qui il tenait la pièce, et se contentait de reproduire quelques critiques formulées par ce dernier dans sa lettre d'envoi. Henschenius jugeait qu'il fallait en dire davantage. « Quant à moi, ajoute modestement Papebroch, je n'étais pas encore capable alors de porter un jugement sur ces matières [1]. »

C'est à Bollandus que remonte la tradition qui supprime dans le groupe des hagiographes toute distinction hiérarchique. L'ancien, le *Senior*, est, par le bénéfice de l'âge, le premier entre ses pairs, *primus inter pares*, et sert d'intermé-

[1] *Responsio Danielis Papebrochii ad Exhibitionem errorum*, Pars secunda (Antverpiae, 1697), p. 171.

diaire entre eux et les autorités. Il n'y a d'autres charges que celles de bibliothécaire et de procureur. Encore sont-ce moins des offices auxquels on est nommé que des corvées qui se distribuent au hasard des circonstances. Le contrôle des travaux est réservé aux collègues. En tout ce qui concerne la marche de l'œuvre, l'ancien doit se mettre d'accord avec les collaborateurs ; l'autorité réside dans le groupe et les résolutions se prennent à la majorité des voix. En cas de parité, l'arbitrage est déféré au provincial.

Parmi les sacrifices que demandent les saints à ceux qui se sont voués à recueillir leurs Actes, il en est un dont le mérite ne peut guère être apprécié que par leurs confrères dans le sacerdoce. Dans les débuts, le manque de ressources exigeait que les hagiographes eussent leur part dans les ministères de la Maison professe, et la direction spirituelle, la prédication, les catéchismes prenaient une bonne partie de leur temps. Bollandus, le premier, sentit combien ce partage était préjudiciable à un travail qui réclame l'homme tout entier, et il insista auprès des supérieurs pour être déchargé de ces ministères, dans lesquels pourtant il réussissait si bien. A son tour, Henschenius fut souvent troublé dans ses études par le confessionnal et se laissa parfois distraire par des occupations qui auraient pu être confiées à d'autres. Il regretta plus tard de n'avoir pas donné aux *Acta Sanctorum* tout son temps et pria les supérieurs de ne pas permettre que Papebroch fût le moins du monde détourné, sous aucun prétexte, de ses travaux littéraires.

Ici encore, Papebroch est le modèle à proposer. Il sut résister aux séductions qu'exercera toujours sur un religieux fervent le zèle des âmes récompensé par des fruits sensibles et renonça à ces consolations pour s'adonner tout entier aux fatigues d'un apostolat à longue échéance[1]. Plus tard, il

[1] A l'époque de la peste qui avait fait de si grands vides dans les rangs des Pères de la Maison professe d'Anvers, Papebroch fut em-

supputa les effets des diversions acceptées par Henschenius et constata mélancoliquement que, sans ces retards, au lieu d'arriver à terminer les six premiers mois, on aurait pu atteindre le mois d'Août. Aussi se désespérait-il de voir son collègue Janninck entraîné par une passion que la piété semblait rendre excusable. Le Père général fut averti et donna raison à Papebroch ; Janninck reçut ordre de renoncer à son confessionnal. Lui-même sut gré à son vénéré maître de l'avoir aidé à briser des liens qui menaçaient de le paralyser entièrement. Tout le monde fut satisfait, sauf, bien entendu, la clientèle congédiée.

Si l'on en excepte celles des trois fondateurs, qui nous font assister à l'éclosion du plan, aux premiers tâtonnements, à la lente organisation du travail, les biographies des anciens bollandistes sont assez monotones. Une fois la voie tracée, ils la suivent d'un mouvement uniforme. L'ardeur des premiers jours ne se fait plus autant sentir et on s'aperçoit que l'esprit d'initiative trouve beaucoup moins à s'employer. Une loi s'est établie, la méthode est fixée et l'on vit de l'expérience des prédécesseurs.

ployé quelque temps à entendre les confessions les dimanches et les jours de fête. Atteint par la contagion, il fut deux fois sur le point de mourir. [Cf. M. Coens. *Un « eucharisticon » de Papebroch en l'honneur de saint François Xavier,* dans *Mélanges Jules Lebreton* (Paris, 1952), p. 260-270.] Il se rétablit, mais tout ministère lui fut interdit par les supérieurs. Voici comment il raconte le fait à son ami Nicolas Heinsius (28 août 1679) : « Quod considerantes superiores, exemerunt me a communi ceteris onere audiendarum stato in loco festis dominicisque diebus confessionum, eo quod huic curae inseparabiliter connexa sint impendenda sanis consilia, aegris solatia, auxilia morientibus, cum grandi impendio temporis nec non vitae periculo quotidiano, quoties solito gravior mortalitas ingruit. Ego huic superiorum voluntati eatenus acquiesco, quatenus meliorem victimis obedientiam esse intelligo : alias quis deses in museo, in eiusmodi publica calamitate (quam utinam diu avertat ab hac urbe Deus !) residere possit, neque malit pro fratribus, extrema ope indigis, animam exponere, et si vocaverit Deus, ponere ? » P. Burman, *Sylloge epistolarum*, p. 787.

Il s'en faut cependant que tous les travaux se vaillent et que tous les volumes aient une égale importance. On a distingué dans les *Acta Sanctorum* quatre périodes principales. La plus brillante est celle du triumvirat des fondateurs, qui s'étend jusqu'à la fin du premier semestre. La seconde, que l'on peut rattacher au nom de Du Sollier, est plus terne. Une plus grande place est donnée à la dissertation et la tendance s'affirme à épuiser les sujets, au détriment de certains textes que l'on préfère analyser plutôt que de les reproduire intégralement. A partir de Juillet, la disposition typographique s'améliore : on évite les suppléments et les corrections dont Papebroch avait été assez prodigue. Il avait, il faut le dire, l'intention de réimprimer le premier semestre tout entier et se proposait de fondre toutes les additions dans la nouvelle édition. Le projet ne fut pas réalisé. Stilting représente assez la troisième période, très laborieuse, mais avec un fâcheux penchant à la polémique. Au lieu de s'en tenir à établir les faits ou la doctrine, on s'embarrasse beaucoup des opinions contraires et on s'attarde à les réfuter. Ces discussions superflues contribuent beaucoup à alourdir la collection. La dernière période est celle du P. De Bye, qui a laissé de fort bons commentaires, mais qui semble n'avoir fait que des efforts modérés pour ramener les *Acta Sanctorum* à la concision des débuts. Les travaux de cette époque se ressentent — et quoi d'étonnant à cela ? — des troubles et des préoccupations du moment. Le temps des études paisibles était passé ; on sentait venir la tempête qui allait tout emporter. Les premiers volumes d'Octobre sont nés dans ce cauchemar.

D'autres circonstances ont eu d'ailleurs leur répercussion sur le développement de l'œuvre. Si la campagne menée contre Papebroch ne réussit pas à intimider ce vaillant lutteur, on n'oserait dire qu'elle n'ait point impressionné quelques-uns de ses successeurs et qu'ils n'en soient venus à tirer avec moins de netteté que lui les dernières conséquences de leurs recherches. C'est ainsi que parfois dans certains commentaires les prémisses appellent des conclusions hardies qu'on laisse au lecteur le soin de déduire. Et puis, il faut compter avec la variété des tempéraments et des intelligences. L'esprit timide d'un Cuperus arrive à hésiter entre les opinions que l'on peut se faire sur la légende des Sept Dormants et adopte sur l'apostolat de saint Jacques en Espagne des conclusions malaisées à défendre. Mais là même où la solution paraît boiteuse, le lecteur est mis en possession des éléments du procès et en mesure de juger lui-même. C'est une justice à rendre à tous les ouvriers qui ont passé sur le chantier des *Acta Sanctorum* qu'ils se sont livrés à un travail opiniâtre et qu'ils ont su remuer avec habileté des masses historiques considérables. S'ils n'ont pas toujours réussi à recueillir eux-mêmes le fruit de leur effort, il est rare qu'ils n'aient facilité la tâche à ceux qui s'y sont repris après eux.

CHAPITRE TROISIÈME

LES MATÉRIAUX

Pour comprendre l'organisation de l'entreprise de Bollandus, telle qu'il l'avait conçue, il faut avoir devant les yeux son objet propre, qui est de rassembler et de discuter les monuments de l'histoire et du culte des saints, c'est-à-dire des personnages dont la mémoire a été, dans quelque église, officiellement honorée [1].

Si la discipline des âges primitifs était restée en vigueur, la recherche des matériaux eût été dans chaque cas fort simplifiée. Le culte du saint était nettement circonscrit, et c'est dans son église d'origine qu'il fallait s'attendre à trouver les éléments nécessaires pour lui constituer un dossier. De bonne heure se manifesta la tendance à franchir ces étroites frontières. Avec les reliques, qui multiplièrent pour ainsi dire la demeure sépulcrale du saint, avec les relations écrites qui portèrent au loin sa célébrité, les conditions se modifièrent et, si certains cultes conservèrent leur caractère strictement local, le rayonnement plus ou moins intense devint la loi ordinaire.

Les conséquences, au point de vue littéraire, sont palpables. Chaque église possède, en théorie du moins, des documents sur ses saints particuliers, et aussi sur ceux qu'elle emprunte à d'autres églises ; sur chaque saint, sur son histoire parfois,

[1] [Les premières pages de ce chapitre ont trouvé d'intéressants développements dans l'ouvrage que le P. Delehaye a publié en 1934 sous le titre *Cinq leçons sur la méthode hagiographique* (= *Subsidia hagiographica*, 21.]

sur son culte toujours, toutes les églises qui l'honorent doivent être interrogées.

Ainsi l'hagiographe qui n'aurait qu'à s'occuper d'un seul saint n'est pas dans les conditions de l'historien qui essaye de mettre en lumière quelque célébrité locale. Il ne lui suffit pas de secouer des liasses d'archives concentrées en un seul dépôt. Son héros est de ceux qui appartiennent à l'humanité et dont le souvenir est resté vivant dans bien des pays où il n'a jamais mis le pied.

Et ce n'est pas à un choix de saints que Bollandus entendait borner son enquête. *Sancti quotquot toto orbe coluntur :* tel était le programme affiché au fontispice de la collection, et de ce chef déjà il n'y avait aucun coin de la chrétienté qui échappât à son enquête.

Les monuments écrits de la vie et du culte des saints sont donc dispersés dans les églises du monde entier ; ils sont rédigés dans toutes les langues. Dans l'antiquité et au moyen âge, les biographes et les panégyristes des saints écrivaient, suivant les contrées, en latin, en grec, en syriaque, en arabe, en copte, en éthiopien, en arménien, en géorgien. Après la conversion des peuples slaves, leur langue devint également une des langues de l'hagiographie et, parmi les plus anciens monuments des idiomes modernes, on compte chez tous les peuples chrétiens des Vies de saints traduites du latin ou du grec, parfois des Vies originales.

L'hagiographie latine l'emporte sur toutes les autres par la richesse de sa production. A s'en tenir aux pièces publiées ou suffisamment connues — et il s'en faut que le domaine soit complètement exploité — l'inventaire latin compte plus de neuf mille numéros contre mille neuf cents en langue grecque[1] et entre douze et treize cents pour la série orientale. Dans

[1] [Ce dernier chiffre doit être notablement augmenté depuis qu'a paru en 1957 la 3e édition de la *BHG.* par les soins du P. F. Halkin ; de nombreux textes demeurés inédits y ont été répertoriés.]

ce nombre ne sont comptés que les récits développés affectant la forme de monographies, à l'exclusion des extraits de chroniques et des abrégés, qui sont innombrables et dont il faut souvent savoir se contenter.

Les manuscrits qui ont conservé le texte des pièces hagiographiques, à quelque catégorie qu'elles appartiennent, ne sont d'ordinaire pas isolés ; souvent ils sont très nombreux et fort dispersés. Il n'y avait pas d'église, de monastère ou d'institution religieuse qui n'en possédât un certain nombre, non pas exclusivement consacrés aux saints régionaux, mais souvent à des saints de pays fort éloignés dont le culte s'était transplanté ou dont la légende seule avait été acceptée comme aliment de la dévotion. Car il y a, entre les groupements chrétiens, des échanges de légendes qui ne sont pas nécessairement des manifestations d'un culte établi : échanges entre églises de même langue, entre pays grec et pays latin, sorte de commerce littéraire que les rapports de voisinage expliquent suffisamment. Des circonstances particulières favorisent ces communications. Il y a des légendes orientales qui arrivèrent dans nos contrées sans passer par l'intermédiaire naturel, qui est le grec. Grégoire de Tours n'était-il pas en relations avec un Syrien qui lui traduisait les histoires pieuses ayant cours dans son pays ?

Le nombre toujours croissant des textes hagiographiques jetés dans la circulation fit naître tout naturellement l'idée de les grouper en collections et de les disposer dans un certain ordre. L'ordre indiqué était celui de l'usage pratique, l'ordre de succession des lectures, c'est-à-dire celui des fêtes ; plus rarement celui des matières. De là naquirent les passionnaires et les légendiers chez les Latins, les ménologes chez les Grecs, contenant les Vies des saints pour tous les jours de l'année ou à tout le moins pour certaines dates.

Les pièces qui formaient ces recueils étaient souvent bien longues. Elles dépassaient la mesure de la lecture liturgique ou conventuelle, et la dévotion privée s'accommodait mal d'une littérature trop encombrante. De là les précis, soit isolés, soit groupés en collection, formant les légendiers abrégés, dont la Légende dorée et le Sanctoral de Bernard Gui sont, en latin, les exemples les plus connus, en grec les synaxaires et les recueils de *βίοι ἐν συντόμῳ*, dans les littératures orientales les synaxaires.

En général, les collections ont pour partie commune ce qui a rapport aux saints d'une renommée plus universelle ; il s'y ajoute des parties propres déterminées par l'usage régional. Elles se composent de deux sortes de documents, les uns relatifs à l'histoire du saint : ce sont les Passions et les Vies ; les autres à leur culte : ce sont les Translations et les Miracles.

A côté des documents d'allure narrative, il faut placer les martyrologes et les calendriers qui sont essentiellement des listes de fêtes. Par la nature des choses, chaque église a son calendrier, et l'argument péremptoire de l'existence du culte d'un saint, c'est son inscription au martyrologe officiel d'une église [1].

La fusion de plusieurs calendriers locaux forme un martyrologe général et, si la compilation est censée formée de la réunion des calendriers de toutes les églises particulières, elle doit prendre le nom de martyrologe universel.

Le nom d'un saint placé à une date déterminée constitue l'élément primitif et essentiel du martyrologe. Dans les martyrologes généraux, il était naturel d'ajouter quelques menus détails pouvant servir à l'identification du personnage. La simple annonce se développant en notice ou biographie sommaire caractérise les martyrologes « historiques ».

Dans la variété de leur contenu et de leur rédaction, les manuscrits des calendriers et des martyrologes sont innom-

[1] Voir notre article *Le témoignage des martyrologes,* dans *Anal. Boll.*, t. 26 (1907), p. 78-99.

brables, et il n'en est pas un seul, dans quelque milieu qu'il ait été écrit, qui n'offre des particularités et dont les caractéristiques ne demandent explication.

Les documents que nous venons de passer en revue n'épuisent pas la série des textes auxquels le culte d'un saint peut donner naissance. A partir d'une époque qu'il est inutile de déterminer ici, apparaissent les procès de canonisation, les diplômes attestant l'authenticité des reliques, les inscriptions votives, les monuments liturgiques, sans compter les chroniques relatant incidemment des faits importants au point de vue de l'hagiographie.

Il serait inutile de continuer cette énumération pour faire comprendre que la masse des matériaux accumulés dans le vaste champ que Bollandus allait défricher est formidable et que, s'il avait fallu du premier coup embrasser l'ensemble des sujets et des sources qui s'y rapportent, l'entreprise eût mérité d'être taxée de folie. Pouvait-on visiter toutes les églises, lire et inventorier les pièces de toute étendue et de tout caractère, écrites dans une vingtaine de langues, en opérer le triage avec sûreté?

Les circonstances se chargèrent de simplifier quelque peu le problème et d'imposer une sélection de matériaux à laquelle l'organisation d'une entreprise scientifique aurait pu difficilement se résoudre.

Beaucoup de documents dont nous avons actuellement le devoir de nous entourer étaient alors inaccessibles et pratiquement inexistants. Au dix-septième siècle, toute l'hagiographie orientale était ignorée et, sauf de minimes exceptions, on manquait des moyens de se renseigner et d'atteindre les sources. L'hagiographie slave était presque aussi bien défendue contre la curiosité scientifique par l'ignorance des langues, l'absence de tout travail préparatoire et l'état des pays qu'il eût fallu explorer. L'étude des littératures modernes à leurs premiers débuts n'était guère commencée, et la mode ne poussait pas les érudits dans cette voie. Ne savait-on pas d'ailleurs qu'au point de vue de l'histoire cette littérature de traductions, dont on possédait les originaux, pouvait être négligée ?

Tout cela ne laissait pas de restreindre quelque peu un horizon démesurément vaste. Le monde qui s'ouvrait devant les hagiographes était le monde grec et le monde latin, et la documentation restait confinée dans le cercle des langues classiques. C'était encore un domaine immense, et il faut se reporter à cette époque pour apprécier l'effort des pionniers qui se donnèrent la tâche de l'exploiter. Les grandes bibliothèques où sont centralisés les trésors littéraires d'une province ou d'un pays n'existaient point alors. Chaque institution avait sa librairie et ses archives, et il fallait aller frapper à vingt portes pour atteindre ce que, de nos jours, un seul établissement met à la disposition du chercheur. Et les portes ne s'ouvraient pas toutes seules. Des règlements sévères ou une étiquette gênante éloignaient des grandes collections quiconque n'avait su se ménager des protections. Trop souvent aussi, le chercheur se trouvait arrêté par quelque cerbère, qui faisait bonne garde pour ne point livrer à d'autres les richesses qu'il comptait exploiter lui-même. Le travail d'orientation dans les sources manuscrites que nous faisons préalablement au moyen des catalogues n'était guère possible. Catalogues et inventaires, lorsqu'ils existaient, ne se trouvaient que sur place, et l'on était livré presque toujours aux surprises du moment. Bref, tout semblait conspirer contre le travail organisé.

Pour rassembler les matériaux dispersés dans un si grand nombre de bibliothèques, deux moyens se présentaient : visiter soi-même celles que l'on pouvait atteindre, faire explorer les autres par des correspondants. Rosweyde, dans une mesure restreinte, avait eu recours à ces deux méthodes. Les bollandistes vont les développer largement.

La bibliothèque Vaticane, que le pape Alexandre VII promettait de leur ouvrir libéralement, fut la première à tenter les hagiographes, Aux appels pressants qu'il recevait de Rome, Bollandus, accablé d'infirmités, répondit, après la publication du mois de Février, en offrant de se faire représenter par ses collaborateurs Henschenius et Papebroch. Les autorisations nécessaires une fois obtenues, on se mit à dresser, en vue de l'expédition, la liste alphabétique de tous les Actes manuscrits ou imprimés que l'on possédait déjà. Quatre mois furent employés à terminer ce répertoire, qui rendit les plus précieux services. Il devint le guide indispensable des hagiographes voyageurs, qui ne s'en séparaient jamais, lors même qu'il fallait à pied escalader les montagnes.

Nos deux explorateurs quittèrent Anvers le 22 juillet 1660, accompagnés de leur maître Bollandus, qui tint à les suivre jusqu'à Cologne. Là, il prit congé de ses chers collaborateurs, leur recommandant de le renseigner régulièrement sur les principales étapes du voyage, sur la marche des travaux et les découvertes qu'ils pourraient faire. Durant les vingt-neuf mois que se prolongea leur absence, plus de cent-quarante lettres expédiées à Anvers maintinrent entre les auxiliaires et leur chef le contact si nécessaire.

A côté des petites nouvelles se pressaient les questions que Bollandus était prié d'éclaircir à propos de quelque trouvaille inattendue. Il tâchait de satisfaire aux demandes de ses confrères, et, lorsqu'ils approchaient de quelque centre important, il envoyait des avis utiles pour diriger les recherches. Cette correspondance, dont une grande partie nous est parvenue, et le journal rédigé par Papebroch donnent sur le premier voyage littéraire des bollandistes de précieuses informations [1]. De Cologne, ils se dirigèrent sur

[1] [Les lettres d'Henschenius à Bollandus sont conservées en original à la Bibliothèque royale de Bruxelles (ms. 7761). Le *Dia-*

Coblence, Mayence, Worms, Spire, Francfort, Aschaffenbourg, Wurtzbourg, Bamberg, Nuremberg, Eichstätt, Ingolstadt, Augsbourg, Munich, Innsbruck, Trente [1].

A l'accueil empressé qui les attendait partout, nos voyageurs purent se rendre compte du prestige qui, dès lors, s'attachait au nom de Bollandus et du cas que l'on faisait d'une œuvre littéraire qui avait été, pour les érudits de tout grade, une véritable révélation. Ce n'était pas seulement dans les maisons de la Compagnie qu'on leur faisait fête et qu'on mettait à leur portée tous les secours matériels et intellectuels dont on pouvait disposer. Les abbayes, les palais épiscopaux, parfois les châteaux s'ouvraient devant eux, et les protestants eux-mêmes se montraient fort zélés à rendre service à ces représentants désintéressés de la science ecclésiastique. Les sanctuaires fameux, les lieux illustrés par l'histoire des saints, les bibliothèques surtout et les archives reçurent leur visite. Quelque pièce intéressante tombait-elle entre leurs mains, ils la transcrivaient ou en prenaient note pour en demander copie au moment opportun.

Le but principal de leurs pérégrinations était l'Italie. Un de ces contretemps si fréquents dans les voyages d'autre-

rium Itineris Romani, autographe de Papebroch, en deux volumes : I. *Usque Romam*, II. *Mora Romana et Reditus*, est revenu en 1950 au Musée bollandien grâce à une transaction aimablement consentie par l'Abbé de Tongerloo (mss. Boll. 971-972). Une copie partielle du diaire de Papebroch, à savoir le vol. I — le vol. II n'a été identifié qu'assez récemment —, et celle des lettres d'Henschenius ont été faites vers la fin du XVIIIe siècle (ms. 17671-72 de la Bibliothèque royale à Bruxelles, portant l'ex-libris de C.-F. de Nélis, évêque d'Anvers). C'est de ce texte, qui n'est pas toujours fidèle, qu'on a le plus souvent tiré les citations.]

[1] [Sur quelques étapes allemandes de ce voyage, on peut lire : F. V. ARENS. *Eine Reise durch den Rheingau im Jahre 1660*, dans *Nassauische Annalen*, t. 56 (1936), p. 177-184 ; ID., *Worms im Jahre 1660*, dans *Der Wormsgau*, t. 2 (1938), p. 145 ; ID., *Mainz im Jahre 1660*, dans *Mainzer Zeitschrift*, t. 39-40 (1947), p. 41-54 ; ID., dans *Pfälzer Heimat*, t. 2 (1951), p. 33-44 ; W. ENGEL et M. H. VON FREEDEN, *Eine Gelehrtenreise durch Mainfranken, 1660*, Wurtzbourg, 1952 (= *Mainfränkische Hefte*, 15).]

fois leur fit perdre huit jours à Trente, où une crue de l'Adige avait suspendu la navigation. Parvenus enfin à Vérone, ils continuèrent leur tournée par Vicence, Padoue, Venise, Ferrare, Bologne, Imola, Faenza, Ravenne, Forli, Césène, Rimini, Pesaro, Fano, Sinigaglia, Ancône, Osimo, Lorette, Recanati, Macerata, Tolentino, Foligno, Assise, Pérouse, Spolète, toutes villes intéressantes, à divers titres, pour l'hagiographe non moins que pour l'historien, et qu'ils ne quittèrent pas les mains vides, on le devine [1].

L'avant-veille de Noël, ils atteignirent Rome, où ils devaient séjourner jusqu'au 3 octobre de l'année suivante, 1661. L'accueil que leur fit le pape Alexandre VII fut ce qu'on pouvait attendre d'un ami personnel de Bollandus et d'un protecteur déclaré de l'œuvre. Il s'empressa de faire savoir à Holstenius, préfet de la Vaticane, qu'il levait en faveur des deux voyageurs toutes les excommunications qui enchaînaient à leurs rayons tant de beaux livres, dans les bibliothèques de la Péninsule, et déclara que tous les manuscrits hagiographiques de Rome étaient à leur disposition. Avec un guide aussi éclairé et aussi sincèrement dévoué qu'Holstenius, l'exploration des bibliothèques romaines devait produire les plus heureux résultats. Hélas ! la mort guet-

[1] [Un érudit italien, M. Battistini, a consacré plusieurs articles au passage des voyageurs dans son pays : *I Padri bollandisti Henschenio e Papebrochio nel Veneto nel 1660,* dans *Archivio Veneto,* t. 61 (1931), p. 111-130 ; *I Padri... nell' Umbria nel 1660,* dans *Miscellanea francescana,* t. 34 (1934), p. 53-59 ; *I Padri... a Roma nel 1660-1661,* dans *Archivio della R. Società Romana di storia patria,* t. 53-55 (1930-1932), p. 1-40 ; *I Padri... in Toscana nel 1661,* dans *Rivista storica degli Archivi Toscani,* t. 2 (1930), p. 280-305 ; *I Padri... nell' Emilia nel 1660,* dans *Archiginnasio,* t. 26 (1931), p. 83-93 ; *I Padri... a Bologna nel 1660,* dans *Archiginnasio,* t. 25 (1930), p. 110-116 ; *I Padri... ad Assisi nel 1660,* dans *Studi francescani,* t. 27 (1930), p. 161-165 ; *I Padri... a Milano nel 1662,* dans *Archivio storico lombardo,* t. 58 (1931), p. 162-169 ; *I Padri... a Genova nel 1662,* dans *Giornale storico e letterario della Liguria,* t. 7 (1931), p. 43-45.]

tait l'illustre savant. Ses forces se mirent à décliner subitement et, sentant sa fin s'approcher, il voulut être assisté à ses derniers moments par Henschenius.

Ce fut une grande perte pour l'Église et pour la science ; elle fut particulièrement sensible aux hagiographes, qui comptaient sur Holstenius pour aplanir les difficultés ordinaires. *Quot menses*, écrivait plus tard Henschenius [1], *Romae frustra per plateas eundo et redeundo impendimus quaerentes accessum ad bibliothecas!* Ce n'est pas qu'on y mît toujours de la mauvaise volonté. Mais Rome n'a jamais passé pour être le paradis des gens pressés et, à cette époque surtout, on ne comprenait guère cette fièvre de travail dont les collaborateurs de Bollandus semblaient dévorés. Ils ne se laissèrent pas rebuter, et, les unes après les autres, les barrières finirent par tomber.

La moisson fut des plus abondantes, à tel point qu'il ne fallait pas songer à exécuter soi-même toutes les transcriptions. Heureusement, il se trouva des copistes pour s'en charger, notamment un copiste grec excellent.

Le travail s'organisa à peu près de la sorte. Les hagiographes parcouraient les manuscrits, faisaient leur choix et remettaient aux employés la liste des pièces à transcrire ; puis, ils collationnaient les copies sur les manuscrits au fur et à mesure qu'elles étaient achevées. C'est à peine s'ils pouvaient suffire à ce labeur. Il se levaient tous les jours avant la communauté, disaient la messe qu'ils se servaient l'un à l'autre, et s'en allaient reprendre leur tâche, d'où ils ne rentraient que bien après l'heure du repas commun. Henschenius se sentait entraîné par son compagnon plus jeune et d'un tempérament plus ardent. Il écrivait à Bollandus : « Le P. Daniel [Papebroch] est infatigable et sa diligence me stimule. Il craint de perdre un quart d'heure [2] ! »

[1] Lettre du 3 décembre 1661.
[2] Lettre du 17 juin 1661.

Nos savants ne se laissèrent point distraire de leur travail littéraire par les multiples curiosités et les monuments vénérables qui, dans la Ville éternelle, absorbent les journées des pèlerins, et ce sacrifice dut coûter à des hommes qui joignaient à une connaissance approfondie des antiquités ecclésiastiques une culture classique très étendue.

Parmi les bibliothèques de Rome qui fournirent le plus grand nombre de textes, il faut citer la Vallicellane. Nos hagiographes ne tarissent point sur la générosité avec laquelle les Pères de l'Oratoire leur ouvrirent des collections dont ils avaient d'abord songé à tirer parti eux-mêmes et sur l'exquise bienveillance qu'ils leur témoignèrent, les traitant comme s'ils étaient de la maison.

Ils purent revoir aussi la bibliothèque de la reine de Suède, que Bollandus avait rapidement examinée à Anvers. Le cardinal Azzolini, qui en avait la garde, venait les prendre en voiture pour les y conduire.

Naturellement, la bibliothèque Vaticane fut pour la plus grande part dans le butin littéraire qu'ils emportèrent de Rome. Les textes grecs qu'ils avaient notés sur leurs listes furent si nombreux que, sept ans après leur départ, le copiste n'avait pas terminé la besogne [1]. Pourtant, le pape avait dérogé en sa faveur à une des règles les plus rigoureuses de la bibliothèque. Il était permis au copiste d'emporter chez lui les manuscrits que Papebroch et Henschenius avaient désignés en partant.

Le pape veilla à ce que, sur ce point, ses intentions fussent bien comprises et mises à exécution mieux qu'elles ne l'avaient été dans d'autres circonstances. Au lieu du concours dévoué que leur assurait le préfet de la Vaticane Holstenius, son successeur Allatius semblait se plaire à leur susciter des ennuis [2]. Sous prétexte de ne pas s'écarter des instruc-

[1] *Act. SS.*, Mart. t. 1, p. XXVII.

[2] Bollandus avait le pressentiment des difficultés que ses collaborateurs rencontreraient à Rome si Holstenius venait à disparaître

tions du Souverain Pontife, il leur refusait des manuscrits ou des livres dont ils avaient besoin. Papebroch aurait voulu pousser l'étude des synaxaires grecs et examiner ceux de la Vaticane. Or, voici à quel obstacle se heurta son dessein. « Le préfet actuel de la bibliothèque, Allatius, raconte-t-il, qui avait ordre de nous montrer tous les livres grecs et latins concernant la vie des saints, se fit scrupule de nous montrer ceux de ces livres qui ne contenaient pas les Vies *complètes* [1]. » Il refusait donc les synaxaires sous le prétexte ridicule qu'ils ne comprennent que des Vies abrégées. Les compagnons de Bollandus ne furent pas non plus autorisés à transcrire le petit livre d'Arca sur les saints de Sardaigne, pour la raison que c'était un imprimé et que l'ordre du pape ne visait que les manuscrits. « Ainsi sont les hommes, concluait Papebroch ; ils poussent à l'absurde le scrupule dans l'interprétation des ordres reçus [2]. » De temps en temps, il fallait se résoudre à importuner le pape et lui envoyer une supplique pour avoir raison des scrupules affectés de son bibliothécaire.

Lorsque celui-ci eut compris qu'il déplairait au maître en continuant à mettre des entraves au travail des hagiographes, il cessa son opposition mesquine et alla jusqu'à leur donner plusieurs pièces qu'il avait lui-même traduites du grec en latin. Plus tard, Papebroch, obligé d'expliquer

et avait, dans cette pensée, hâté leur départ. Il écrit à Nicolas Heinsius, le 5 septembre 1660 : « Obtinui igitur ab admodum reverendo patre Generali nostro, ut P. Henschenio cum alio comite venire illuc liceret. Idque eo celerius fieri volui, quod D. Lucae Holstenii saepius iam gravi morbo tentata valetudo sit, cuius tamen favore, dum licet, utendum, ne quis ei submorosus ac difficilis in praefecturam bibliothecae Vaticanae succedat. » P. Burman, *Sylloge epistolarum a viris illustribus scriptarum,* t. 2, p. 785.

[1] *Act. SS.,* Iun. t. 3, p. 808.

[2] Henschenius écrivait de son côté à Bollandus, à propos du fâcheux personnage : *Quanta fastidia devoranda, et adhuc silendum quia magis nocere potest.* Lettre du 3 décembre 1661.

certaines lacunes de son information, ne put s'empêcher de rappeler le souvenir des mauvais procédés d'Allatius. Mais sa droiture lui fait atténuer sa critique et il ajoute cette phrase où il rend à l'illustre érudit l'hommage qui lui revient : *Non ideo tamen minus laudandus idem semper erit, tum propter obsequium in aliis collatum, tum propter plures eruditionis reconditae libros ab eo editos* [1].

L'abbaye grecque de Grottaferrata ne fut pas négligée par nos voyageurs, ni le Mont-Cassin, d'où ils gagnèrent Naples, pour revenir encore à Rome. Ils quittèrent définitivement la Ville éternelle le 3 octobre 1661 et se dirigèrent, en passant par Viterbe et par Sienne, sur Florence, où ils trouvèrent à s'occuper durant quatre mois entiers. Le milieu leur parut plus lettré que celui de Rome, et l'obligeante intervention de Magliabechi [2] et d'André Cavalcanti leur assura des facilités dont ils usèrent largement. Les copistes faisant défaut, ils n'hésitèrent pas à s'atteler eux-mêmes à la besogne, et l'incroyable activité de Papebroch suppléa à tout.

Parmi les joyaux de la Laurentienne figurait un ménologe grec pour la seconde moitié de Mai, tranchant sur les autres recueils rencontrés jusque-là. Ce n'était malheureusement qu'un volume qu'il eût fallu pouvoir compléter par d'autres. Où trouver le reste de la série ? Peut-être chez les Basiliens de Messine, comme le soupçonnait Papebroch. Aussitôt, il écrit à Bollandus, demandant l'autorisation de s'embarquer pour la Sicile. Henschenius l'attendrait à Florence et continuerait les transcriptions jusqu'à son retour. Le

[1] *Act. SS.*, Iun. t. 3, p. 808. Dans une lettre du 1er septembre 1662, à Bollandus, Henschenius fait encore allusion à ces difficultés : *Quis est S. Leo is, cuius conversio petitur a P. Van Veken ? Allatii conversio ut diuturna sit requiritur gratia extraordinaria.*

[2] [Cf. M. Battistini, *Antonio Magliabechi e la sua collaborazione all' Opera Bollandiana*, dans *Bulletin de l'Institut historique belge de Rome*, fasc. 22 (1942-1943), p. 113-258.]

projet ne fut point goûté ; le jeune hagiographe ne devait pas abandonner son aîné, et il valait mieux ne pas s'écarter du programme, d'autant plus que la saison était mauvaise et que la piraterie sévissait sur la Méditerranée. L'exploration de Florence fut donc poursuivie par les deux hagiographes. A Arezzo et à Pise, des amis obligeants s'offraient à les remplacer. Eux-mêmes firent à pied les excursions de Vallombreuse, de Camaldoli, de l'Alverne. On voit dans le récit de Papebroch qu'il leur en coûta de quitter Florence, où ils s'étaient fait de nombreux amis.

Les étapes suivantes furent Pistoie et Lucques. Dans cette dernière ville, ils allèrent saluer le savant F. M. Fiorentini, qui consacrait à l'hagiographie les loisirs que lui laissait la médecine.

Uniquement préoccupés d'augmenter leur récolte de Vies de saints, ils éprouvèrent à Gênes une légère déception. Une surprise plus désagréable les attendait à Milan. L'Ambrosienne ouvrait ses portes toutes grandes, mais refusait l'autorisation de prendre des copies : le règlement s'y opposait, à ce qu'il paraît. L'exemple du pape et du grand-duc de Toscane, qui avaient fait fléchir en faveur des hagiographes la rigueur des anciens statuts, fit comprendre aux conservateurs combien cette clause restrictive était peu raisonnable, et elle ne fut pas appliquée.

De Milan, ils se rendirent par Novare et Verceil à Turin, où l'autorisation accordée par le duc de Savoie d'emporter les manuscrits au collège de la Compagnie leur facilita beaucoup le travail.

Le pèlerinage d'Italie était terminé. On rentrerait en Belgique en passant par la France, où il y avait également beaucoup à recueillir. Voici à peu près l'itinéraire suivi : Chambéry, Grenoble, Grande-Chartreuse, Tournon, Vienne, Lyon, Mâcon, Cluny. A Cîteaux, le bibliothécaire était un Belge, le P. Jacques de Lannoy, qui se mit entièrement au service de ses compatriotes. A Dijon, ils tirèrent le plus grand profit des collections de Pierre-François Chifflet et de la bibliothèque du conseiller Bouhier, d'où ils rapportèrent la copie du principal manuscrit du martyrologe de Bède. D'Auxerre, où ils se rendirent ensuite, ils firent l'excursion de Pontigny, dont l'église renfermait le corps de saint Edmond de Cantorbéry, et la bibliothèque un vieux légendier qu'ils furent autorisés à emporter à Auxerre. Après l'étape de Sens, ils arrivèrent enfin à Paris [1].

Là, le P. Philippe Labbe se fit leur guide et les mena aussitôt chez A. Wyon d'Hérouval, grand admirateur de Bollandus. A la porte du collège de Clermont, ils rencontrèrent le docteur de Sorbonne Jean Launoy, surnommé le « dénicheur de saints », critique célèbre qui valait mieux que sa réputation [2]. Les PP. Cossart et Vavasseur leur firent les honneurs de la bibliothèque du collège, également riche en imprimés et en manuscrits, et où planait encore le souvenir de Sirmond. La recommandation de leurs confrères et de puissantes protections leur ouvrirent, les unes après les autres, les riches collections de manuscrits, si nombreuses dans les monastères et les palais de la capitale [3]. On fit sur place les copies les plus urgentes, et on laissa les indications nécessaires pour en faire exécuter d'autres par les copistes, dont le travail serait surveillé par des amis. Parmi ceux qui leur rendirent de signalés services, ils comptaient le P. F. Combefis, dominicain, un des plus féconds érudits du dix-septième siècle.

[1] [Cf. F. Halkin, *Témoignages des premiers bollandistes sur leur passage en Bourgogne et à Paris,* dans *Anal. Boll.,* t. 65 (1947), p. 71-106 (en annexe à l'article : *Le synaxaire grec de Chifflet retrouvé à Troyes*).]

[2] Lettre d'Henschenius du 17 août 1662.

[3] Henri Omont a publié, sous ce titre : *Les Bollandistes et le prêt des manuscrits de Séguier en 1662,* une requête d'Henschenius et de Papebroch demandant au chancelier l'autorisation d'emprunter un de ses manuscrits grecs, afin de le copier plus à loisir (*Revue des bibliothèques,* t. 1, 1891, p. 467-468).

Le séjour de Paris ne fut que de trois mois. Mais on ne pouvait prolonger indéfiniment une absence déjà longue au gré de Bollandus, qui attendait ses collègues avec impatience, et ceux-ci n'avaient pas encore rempli tout le programme de leur itinéraire. Après avoir visité à Rouen la bibliothèque d'Émeric Bigot, ils se firent conduire par dom François Pommeraye aux célèbres abbayes normandes de Jumièges [1], de Fontenelle et du Bec. A Eu, ils recueillirent les Miracles de saint Laurent de Dublin. D'Abbeville, ils comptaient atteindre Amiens, où les attirait la renommée de l'illustre Du Cange [2]. L'état des routes fit échouer ce projet et il fallut se replier sur Arras et Saint-Vaast. Ils furent heureux, enfin, après ce long et laborieux pèlerinage, de se trouver sur la route d'Anvers et d'y courir, le 21 décembre 1662, *ad amantissimi et desideratissimi Bollandi complexus*.

Non moins que la présence de ses compagnons de labeur, la vue des richesses conquises au prix de tant de fatigues dut réjouir le cœur du vieux maître. Aux matériaux déjà nombreux accumulés sous sa main venaient s'ajouter du coup quatorze cents pièces nouvelles, sans compter les notices et les extraits. A cette masse respectable de copies, dont beaucoup existent encore à la Bibliothèque royale de Bruxelles et à la nouvelle bibliothèque des bollandistes, venaient s'ajouter des manuscrits anciens et des livres. Car les loisirs forcés des heures de clôture avaient été utilisés par nos voyageurs pour visiter les boutiques des libraires,

[1] [Cf. M. Coens, *Une visite des Bollandistes à Jumièges en 1662*. Extr. de *Jumièges*. Congrès scientifique du XIIIe centenaire (Rouen, 1955), p. 662-668.]

[2] On peut lire à ce sujet une lettre de Papebroch à Du Cange, datée du 28 octobre 1665 (manuscrit de la Bibliothèque nationale de Paris, Fonds français 9502). [On la trouvera publiée et commentée par M. Coens, *Du Cange et les Acta Sanctorum*, dans le *Bulletin* de la Classe des Lettres de l'Académie royale de Belgique, 5e sér., t. 41 (1955), p. 561-563.]

et ils avaient acheté, dans la mesure de leurs ressources, tout ce qui était de nature à compléter leurs collections. Et ce n'était là que le fruit matériel et palpable de leur activité. De précieuses relations avaient été nouées, des correspondants étaient acquis à l'œuvre dans presque tous les centres d'études où ils avaient passé ; on rapportait des lettres de recommandation de la plupart des généraux d'Ordres et, ce qui n'était certes pas à dédaigner, de nouvelles souscriptions aux volumes des *Acta Sanctorum.*

Après la publication des trois volumes de Mars en 1668, Henschenius et Papebroch entreprirent un second voyage en vue de nouvelles recherches, et un peu aussi dans un but d'hygiène. Ils partirent à pied vers les bords de la Meuse et de la Moselle, n'ayant pour tout bagage que leur bréviaire et le répertoire alphabétique que nous connaissons. On n'a retrouvé qu'un fragment de la relation de cette expédition [1]. Un accident assez grave arrivé à Henschenius les retint un mois à Luxembourg. C'est là que Papebroch conçut l'idée de l'essai de diplomatique dont nous avons parlé plus haut.

Les expéditions scientifiques, que les bollandistes semblent avoir été les premiers à organiser [2], donnaient des résultats trop tangibles pour ne pas entrer dans les conditions normales de la vie de l'œuvre. La tradition s'en établit donc et, si l'on excepte la génération contemporaine de la ruine, presque tous les bollandistes à leur tour prirent le bâton de pèlerin. Nous avons beaucoup moins de détails sur les voyages suivants ; mais il est aisé d'en constater la trace dans les volumes successifs des *Acta Sanctorum* et dans les collections de copies et de notes conservées jusqu'à ce jour.

[1] [Inséré à la fin du vol. I de l'*Iter romanum* de Papebroch (manuscrit 971 de la bibliothèque des Bollandistes). Le texte en a été imprimé par Van Spilbeeck, dans *Analectes pour servir à l'histoire ecclésiastique de la Belgique,* t. 4 (1867), p. 337-348.]

[2] L'*Iter italicum* de Mabillon et Germain, publié en 1687, remonte aux années 1685-1686.

Lorsqu'en 1681 Janninck fut envoyé à Rome pour achever ses études, il partit muni d'amples instructions rédigées par Papebroch. Son itinéraire à travers la France et l'Italie était tracé avec le détail des recherches à faire, des renseignements à recueillir, des copies à prendre. La troisième année de probation, que Janninck subit à Florence, après ses quatre années de théologie, est un temps de réclusion rigoureuse. On jugea que le travail mis au service des saints n'en troublerait pas la tranquillité. Il lui fut donc permis de visiter les bibliothèques. Magliabechi, qui voyait revivre en lui ses amis Henschenius et Papebroch, le prit en affection et l'accabla littéralement de ses bons offices. Après cinq mois de séjour à Florence, les supérieurs permirent au jeune bollandiste d'entreprendre une tournée dans le royaume de Naples. Il s'acquitta consciencieusement de sa mission, allant partout, s'informant de tout, amassant des documents de toute nature, et il revint les mains pleines, à la grande satisfaction de son maître Papebroch. Comme ses anciens, il sut conquérir de précieuses amitiés, et Noris, Schelstrate [1], Muratori [2] figurent parmi ses correspondants les plus assidus.

En 1688, s'organisa une expédition à travers l'Allemagne. C'est encore Janninck qui en fut chargé, en compagnie du P. Baert. Ils partirent pour Cologne, où ils avaient mission d'offrir à l'archevêque le tome 7 de Mai. A Aschaffenbourg, il leur fut permis de fouiller les papiers laissés en grand nombre par le P. Gamans [3]. Les *Acta Sanctorum* ne devaient pas profiter de la part qu'ils prélevèrent sur cet héritage. Elle

[1] [Voir L. Ceyssens, *La correspondance d'Emmanuel Schelstrate, préfet de la Bibliothèque Vaticane (1683-1692)*. Bruxelles, 1949.]

[2] [Cf. B. de Gaiffier, *Lettres de Bollandistes à L. A. Muratori*, dans *Rivista di storia della Chiesa in Italia*, t. 4 (1950), p. 125-136.]

[3] [On trouvera une notice succincte sur Jean Gamans (1615-1684), zélé correspondant des premiers bollandistes, dans L. Koch, *Jesuiten-Lexikon* (Paderborn, 1934), col. 636.]

périt tout entière avec le bateau qui la transportait à Francfort-sur-le-Main.

Une des étapes principales fut Prague. Ils y eurent accès à des collections que l'historien de la Bohême, le P. Balbinus, lui-même, n'avait pas réussi à se faire montrer. Affrontant des chemins détestables et les auberges les plus primitives, ils atteignirent Vienne et la Bibliothèque impériale. La liste des pièces indispensables à la continuation de l'œuvre se trouva être fort longue, et les copistes, surtout les copistes grecs, faisant défaut, il fallut se mettre à transcrire. Deux mois s'étaient passés à ce travail fatigant, dont la santé du P. Baert s'accommodait mal. L'empereur eut pitié des hagiographes et leur permit d'emporter à Anvers les manuscrits grecs dont ils avaient besoin. Là ne s'arrêta pas sa libéralité. Mis au courant par Janninck de la situation financière peu brillante de l'œuvre, il lui accorda des subventions.

Les grandes abbayes d'Autriche, qui avaient presque toutes conservé leurs bibliothèques, reçurent également la visite des deux bollandistes. Puis ils retournèrent dans leur pays en passant par la Bavière, le Wurtemberg et la Lorraine.

Le séjour de Janninck à Rome, de 1697 à 1700, fut motivé par des nécessités d'un autre ordre, dont il sera question plus tard. Mais il ne revint pas les mains vides et, au butin littéraire qu'il parvint à ramasser à ses heures libres, il ajouta de nouveaux secours obtenus de l'empereur, qu'il était allé saluer à Vienne.

C'est également à Vienne qu'en 1715, nous rencontrons Du Sollier. Il accompagnait le cardinal archevêque de Malines, Thomas-Philippe d'Alsace. Il n'a guère laissé de notes sur ses visites aux bibliothèques, mais nous savons certainement qu'il profita de l'occasion pour intéresser une fois de plus l'empereur, qui était alors Charles VI, aux *Acta Sanctorum*, dont la situation matérielle continuait à donner des inquiétudes.

Le P. Pien, accompagné du P. Cuperus, partit d'Anvers en 1721 pour explorer les bibliothèques d'Espagne. Le voyage dura huit mois. Un des résultats des recherches dans les manuscrits de la péninsule fut le traité du P. Pien, *De liturgia mozarabica*, placé en tête du tome 6 de Juillet.

A son tour Stilting, qui s'était adjoint Suyskens, se mit en campagne en 1752. Il parcourut la France, l'Italie, l'Allemagne, la Hongrie et rapporta des matériaux qui alimentèrent plusieurs volumes de la collection. A Rome, le pape Benoît XIV lui témoigna une bienveillance marquée, l'appela plusieurs fois à son audience et voulut se charger des frais de copie. En passant par Vienne, le voyageur tint à s'assurer, dans les circonstances difficiles qui s'annonçaient, l'appui de Marie-Thérèse.

La correspondance érudite.

Nécessairement espacés par les exigences du travail de mise en œuvre, de l'impression des volumes et des conditions de l'existence d'alors, les voyages ne pouvaient suffire à assurer aux hagiographes une documentation complète sur tous les sujets qu'ils avaient à traiter. Certains pays, comme l'Angleterre et les pays scandinaves, leur étaient fermés [1] ; là où ils voyageaient librement, il ne fallait pas songer à pénétrer dans toutes les localités où il pouvait y avoir des documents à recueillir, des traces de culte à relever ; là même où l'on se fixait, on ne se flattait point d'épuiser la matière. Encore moins leur était-il donné, dès qu'un manuscrit important était signalé ou qu'un monument était découvert, de courir sur place, de l'étudier et d'en tirer parti. Le commerce épistolaire était le moyen de suppléer aux lacunes

[1] Le savant et regretté Edmond Bishop écrivait à ce propos : « It must have been often a subject for regret with English scholars that, if penal laws there must be, they could not at least be suspended in favour of the Mabillons and the Papebrochs. » *Dublin Review*, janvier 1885, p. 152.

inévitables, et il était nécessaire, puisque le plan embrassait l'hagiographie du monde entier, de s'assurer dans tous les pays des correspondants capables d'envoyer des renseignements sur l'histoire locale et de fouiller bibliothèques et archives sur des indications données.

Dans toutes les provinces de la Compagnie de Jésus, les bollandistes étaient sûrs de trouver des auxiliaires. Il n'y en avait guère qui ne possédât quelque érudit passionné pour les antiquités du pays, habitué à déchiffrer les vieux parchemins ou assez répandu dans la société pour procurer à ses confrères d'Anvers des relations utiles. Sans cet appui, l'œuvre eût pu difficilement subsister.

Auprès des grands érudits du dix-septième et du dix-huitième siècle, il ne fallait aux bollandistes d'autre introduction que les *Acta Sanctorum*, qui étaient connus partout, et l'on peut constater qu'à mesure que la collection se développe, leur crédit scientifique ne cesse de croître. Dans ce qui nous reste de leur immense correspondance, il n'y a vraiment aucun nom illustre dans l'histoire de l'érudition qui ne soit représenté par quelque lettre ou quelque utile contribution [1].

Il est vrai que les lettres des bollandistes ne sont pas toujours de simples questionnaires. Ils étaient consultés de toutes parts sur les matières qui semblaient être de leur compétence spéciale et, hélas ! aussi sur beaucoup d'autres. La correspondance absorbait une large part de leur temps. Dans le mémento du seul Du Sollier, l'on trouva l'indication de douze mille lettres expédiées au jour le jour, et l'on ne peut douter que les relations épistolaires n'aient été le tour-

[1] [La publication, par l'Académie des Sciences de Berlin, des écrits de Leibniz en fournit un nouvel exemple. Voir *Gottfried Wilhelm Leibniz. Sämtliche Schriften und Briefe,* Erste Reihe, t. 3 (1950) et suivants, où on peut lire de nombreuses lettres échangées entre l'illustre savant et les bollandistes Papebroch et Janninck.]

ment des anciens bollandistes, — leurs successeurs sont bien placés pour le comprendre. Mais ce n'est là qu'un côté des choses. Une lettre envoyée par les hagiographes au bon endroit leur valait des renseignements qu'ils n'eussent pu autrement atteindre, à une époque où les revues locales, qui mettent à notre portée les traditions des endroits les plus reculés, n'existaient pas, où les inventaires sommaires des dépôts d'archives ou de manuscrits étaient à peu près inconnus. Les réponses arrivées de toutes parts, lettres ou documents, allaient grossir les dossiers des saints conservés au musée bollandien.

Le Museum Bollandianum.

Le musée bollandien, dans le style du temps, c'était la bibliothèque, ou si l'on veut, le laboratoire où se concentraient tous les matériaux recueillis au cours des voyages ou apportés journellement par le courrier. Des classeurs, où chaque jour de l'année avait son compartiment, étaient préparés pour les copies et les notes ; sur les rayons s'étalaient les répertoires, les manuscrits et les livres. Les achats, les dons, les échanges, le travail même des hagiographes avaient contribué à constituer un ensemble unique, une collection d'autant plus précieuse que toutes ses parties se rapportaient à une spécialité bien déterminée. La bibliothèque, dont les livres choisis par Rosweyde avaient formé le premier fonds, s'était rapidement accrue. Déjà en 1668, Papebroch pouvait écrire qu'au témoignage des visiteurs qui avaient parcouru les principales bibliothèques de l'Europe, on ne voyait nulle part réunis autant de livres et autant de raretés. En ce qui concerne les Vies de saints imprimées et les monographies de sanctuaires, le musée bollandien l'emportait sur les deux collections les plus riches en ce genre d'ouvrages et méthodiquement formées au prix de grands sacrifices d'argent : la Barberine à Rome et la Mazarine à Paris. Les livres étaient classés sous les divisions suivantes : histoire générale ; histoire particulière et monuments des diocèses, des villes, des monastères ; Vies des saints en toutes les langues ; bréviaires anciens et modernes ; manuscrits.

Combien l'outillage était complet pour l'époque, les *Acta Sanctorum* l'attestent à toutes les pages. Il est rare que l'on prenne en défaut l'érudition des anciens bollandistes, qu'on leur reproche d'ignorer l'existence d'un ouvrage de quelque intérêt pour le sujet qui les occupe. Arrivait-il qu'un livre important se dérobât obstinément aux recherches des libraires, on n'hésitait pas à le faire transcrire.

L'atelier est donc parfaitement installé. Les matériaux sont à la portée de la main. Comment les excellents ouvriers que sont les collaborateurs de Bollandus vont-ils en tirer parti ?

CHAPITRE QUATRIÈME

L'ÉLABORATION

Les *Acta Sanctorum* sont conçus comme une suite de trois cent soixante-cinq unités répondant aux dates du calendrier et divisées chacune en une série de monographies consacrées aux saints honorés ce jour-là. Aux débuts de l'œuvre, on ne commençait la publication que lorsque tous les jours d'un mois étaient terminés. C'est ainsi que parurent complets les mois de Janvier, de Février, de Mars et d'Avril. A partir de Mai, on n'attendit plus, pour mettre sous presse, que l'on eût atteint la fin du mois.

Pour chaque jour de l'année, les bollandistes doivent procéder à une double opération préliminaire : régler la liste des saints à traiter, faire le plan des commentaires.

Le choix des saints à traiter.

Comme tous les saints de la chrétienté réclament leur place dans la collection, il faut qu'à chaque date on arrive à déterminer quels sont les saints honorés par l'Église universelle, par les églises particulières ou par n'importe quel groupement religieux. Ce travail suppose le dépouillement, jour par jour, des martyrologes, des calendriers, des chroniques, des ménologes des Ordres religieux et, en général, de toutes les collections hagiographiques.

Les listes ainsi établies font naître plus d'un problème embarrassant. On voit reparaître les mêmes noms à différentes dates, soit que les saints aient plusieurs fêtes, soit que les martyrologes offrent sur ce point des divergences. Ensuite, certains noms semblent n'avoir aucun titre à figurer parmi les saints à n'importe quelle date. Les auteurs des compilations martyrologiques et les copistes ont commis nombre d'erreurs et de confusions, et ils ont laissé passer des personnages qui n'ont été l'objet d'aucun culte. Parfois ils ont fondu ensemble le nécrologe et le calendrier, et mis sur le même pied les fidèles défunts et les saints. Ne découvre-t-on pas, dans certaines énumérations, les noms des consuls de l'année mêlés aux noms des martyrs, des rubriques topographiques défigurées prenant la place du groupe qu'elles commandent et réciproquement ? Ailleurs on s'aperçoit que des annalistes trop zélés, se faisant complaisamment les échos de prétentions injustifiées, ont prodigué le titre de saint à des personnages qui n'y avaient aucun droit. De tous ces intrus, les *Acta Sanctorum* n'ont à s'occuper que pour les exclure. Il s'agit donc de faire un premier triage très minutieux, de fixer définitivement la liste des saints dont il y aura lieu d'étudier les Actes ; si l'un d'eux figure dans le dépouillement à diverses dates, de choisir celle qui est le mieux attestée ou qui mérite la préférence.

Bollandus comprit qu'il ne suffisait pas de s'arrêter à un choix qui eût pu paraître arbitraire et que, pour faire œuvre scientifique, il était indispensable d'indiquer la marche de l'étude critique qui avait abouti à l'élimination des éléments superflus. Le moyen choisi consiste à faire précéder chaque jour d'une double liste. La première sera intitulée, par exemple, *Sancti qui pridie nonas ianuarias coluntur ;* ce sont les saints dont les Actes vont suivre. La seconde a pour titre *Praetermissi et in alios dies relati.* Dans celle-ci, le critique examine les données des martyrologes et autres sources analogues qui n'ont point été utilisées dans la liste précédente, discute les raisons d'admettre ou de rejeter certains noms et conclut ou à l'exclusion pure et simple ou au renvoi à un autre jour du calendrier.

Cette partie des *Acta* ne doit pas être négligée. Elle a une extrême importance et n'a cessé de se développer. Une énorme quantité de recherches est condensée dans ces courtes notices qui, mieux souvent que des dissertations, éclaircissent le texte obscur des martyrologes et redressent des erreurs historiques longtemps perpétuées par des compilations sans critique. C'est là encore que sont mentionnées en peu de mots les fêtes et commémoraisons qui n'entrent pas dans le cadre proprement dit des *Acta*, mais dont il est utile de constater l'existence : fêtes de sanctuaires, pèlerinages, grands arrivages de reliques, etc.

Au point de vue pratique, cette liste constitue un système ingénieux permettant, à l'occasion, d'éviter des retards dans la publication sans troubler l'économie de l'œuvre. Il peut se faire qu'au moment où un saint devrait être traité on ne soit pas en possession des documents nécessaires. Il est alors loisible de le mentionner dans la série des *praetermissi* en le renvoyant à une date ultérieure.

Le choix des textes à publier.

Le travail d'élimination terminé, il reste à mettre en œuvre, pour chacun des saints qui ont été retenus, les matériaux qui composent son dossier. Les uns se rapportent à l'histoire du saint : c'est sa Passion, sa biographie, en un mot ses Actes. Les autres ont pour objet cette existence prolongée que lui fait à travers les âges le culte des générations On les groupe sous le titre expressif de *Gloria postuma*.

Un coumentaire complet commence donc par les Actes du saint : textes, prolégomènes, éclaircissements.

Le cas le plus simple est celui d'un texte unique. On ne peut dire que ce soit le cas ordinaire. Beaucoup de saints ont été loués par plus d'un biographe, et souvent aussi la même biographie a passé par les mains de plus d'un rédacteur. Tous ces textes doivent-ils être publiés ? Faut-il faire un choix? C'est un problème fort délicat. Lorsqu'il s'agit de relations indépendantes, il n'y a pas d'hésitation possible. Mais il y a des cas douteux, où il est difficile de reconnaître si l'on a affaire à des témoins distincts ou si le même témoignage se répète en d'autres termes. Il y a aussi des circonstances où il est parfaitement démontré que des pièces assez diverses au premier abord dérivent d'une source unique. Comment, lorsqu'il en est ainsi, échapper au reproche de prolixité? Une courte analyse ne remplace-t-elle pas avantageusement les textes dérivés?

La question s'est posée souvent et a été diversement résolue suivant les époques et le point de vue spécial adopté par l'hagiographe. A ne considérer que le côté historique, bien des suppressions se justifieraient aisément. L'intérêt littéraire réclame au contraire la multiplication des textes, et l'on ne peut nier que les volumes des *Acta* où l'on s'est le plus largement inspiré de ce principe, sont ceux qui rendent les plus grands services. C'était déjà la pensée de Bollandus et d'Henschenius ; Papebroch marcha plus résolument encore dans cette voie. Après eux, la tendance plus exclusivement historique se fit jour et s'accentua sans cesse davantage, au détriment d'une classe de lecteurs qui s'accroît à mesure que progressent les études d'histoire littéraire.

Les Actes trop manifestement apocryphes étaient un autre sujet d'hésitation. Il en est qui ne sont vraiment qu'un tissu d'absurdités, dans lesquels on chercherait en vain quelque élément historique. A quoi bon les publier puisque les saints n'en peuvent retirer aucun honneur et les hommes aucun profit? Ne va-t-on pas se scandaliser de voir de pareilles pièces figurer parmi les Actes des saints? A cette époque on avait à compter avec des scrupules de ce genre[1]

[1] On se rappelle les objections faites par Bellarmin au projet de Rosweyde (plus haut, p. 15). Le savant cardinal ne cachait pas que beaucoup de textes hagiographiques lui semblaient moins faits pour édifier le lecteur que pour ridiculiser la religion.

et, lorsque le pape Alexandre VII reprochait à Allatius ses procédés envers les bollandistes, celui-ci donnait cette mauvaise excuse que, leur permettre de tout transcrire sans discernement, c'était s'exposer à introduire dans les *Acta Sanctorum* beaucoup de fables. Mais les bollandistes sentaient bien qu'en excluant un genre si richement représenté en hagiographie, ils auraient donné une fausse idée de l'ensemble de cette littérature, et c'est ainsi qu'ils ont, dès le début, admis dans la collection des Actes qu'ils qualifient d'apocryphes et même d'*insulse fabulosa*.

On leur en fit sans doute des reproches, car nous les voyons parfois reculer devant certaines pièces qui semblent être un défi au bon sens. Papebroch avait copié à Florence les Actes de saint Mélèce et de ses compagnons. Lorsqu'on fut arrivé au 24 mai, date de la fête, on n'osa point leur donner place parmi les saints du jour, « crainte du scandale des faibles », et après une longue délibération on prit le parti de les reléguer dans un appendice [1].

Ce fut sans doute l'avis de Papebroch qui amena cette transaction. Il jugeait qu'il ne fallait rien exclure de ce qui pouvait instruire le lecteur, et combien cet avis était sage, l'événement le prouva plus d'une fois. Ces mêmes Actes de saint Mélèce, qui sont l'opprobre de l'hagiographie, sont, en fait, le seul monument qui nous reste du culte des martyrs à Tavium de Galatie [2]. Après Papebroch, on se départ trop souvent de la largeur d'esprit qu'il montra en cette matière comme en tant d'autres. Mais ce n'est plus le souci de l'édification qui dictera une plus grande sévérité. Ce sera, cette fois encore, la préoccupation trop exclusive de mettre au premier plan l'élément historique. On en est

[1] *Act. SS.*, Maii t. 5, p. 436.

[2] Nous avons traité cette question dans un travail sur les *Martyrs de Tavium*, dont les circonstances ont retardé la publication. [Cet article a paru dans *Anal. Boll.*, t. 38 (1920), p. 374-387.]

arrivé de la sorte à supprimer des pièces d'un grand intérêt. Ainsi, les Actes d'Eusignius, au 5 août, les Actes de Thècle et les livres de Basile de Séleucie, au 24 septembre.

C'était, au fond, une disposition d'esprit dangereuse. On était bien obligé de publier certains Actes dont les allures n'étaient pas évidemment suspectes, mais dont la valeur historique ne dépassait guère celle des compositions les plus fantastiques. Admettre ceux-là à l'exclusion de celles-ci, c'était au moins exposer le lecteur à prendre le change et assurer à de misérables centons le bénéfice d'un honorable voisinage. La règle de Papebroch était bien meilleure : ne pas faire de choix entre les textes, quitte à s'expliquer nettement dans l'introduction sur la considération qu'ils méritent.

Un autre genre de sélection était réclamé pour la catégorie des saints modernes. En théorie, ils pouvaient prétendre au même traitement que les anciens. Une règle tacite ramène à de justes proportions les commentaires auxquels l'étendue et l'abondance des documents donneraient une extension démesurée. Cette restriction se justifie d'elle-même. Les Actes des saints modernes sont facilement accessibles, presque toujours dans des livres à la portée de tous, et n'offrent point les mêmes difficultés que les monuments de l'antiquité et du moyen âge. Que l'on ait donné une place privilégiée à saint Louis de Gonzague et à saint Ignace, cela s'explique ou s'excuse. Mais il est impossible d'appliquer la même mesure aux saints récemment canonisés dans les formes et dont le culte s'est établi régulièrement presque sous nos yeux. Dans ce qui va suivre, il ne sera guère question de l'hagiographie moderne, et les textes dont nous parlerons sont ceux que l'on tire des vieux manuscrits.

L'édition des textes.

Dans la publication des textes, les anciens bollandistes suivaient la méthode de l'époque. La dispersion des manuscrits, les difficultés d'accès l'imposaient généralement. Dans l'impossibilité d'atteindre tous les manuscrits d'un ouvrage, on se bornait à ceux que l'on avait à sa portée ; celui qui paraissait le meilleur était pris pour base, et on le corrigeait par les leçons des autres, parfois par quelque heureuse conjecture. Il pouvait être d'autant moins question de réunir préalablement tous les manuscrits d'une pièce et de les classer, que l'on ne fut pas longtemps à comprendre les conditions spéciales de la tradition des documents hagiographiques, souvent conservés en de très nombreux exemplaires presque irréductibles entre eux et constituant des recensions plutôt que des copies. L'art si difficile d'établir les textes était alors dans l'enfance et devait nécessairement échouer devant des problèmes qui, de nos jours encore, après tant de progrès, paraissent insolubles. Quelques timides essais furent tentés, çà et là, de fixer la résultante d'une série de manuscrits. Ils aboutirent à une mosaïque de textes sans atteindre le texte primitif que l'on prétendait trouver. Généralement on s'en tint au parti le plus sage qui était alors, comme il peut l'être encore aujourd'hui pour bien des Passions de martyrs, de reproduire un bon exemplaire et de noter les variantes des autres.

Les éditeurs ne s'embarrassaient pas de l'appareil encombrant des variantes qu'ils jugeaient inutiles et qui l'étaient, en effet, la plupart du temps. Les plus marquantes seules étaient conservées et c'est au choix auquel ils s'arrêtaient que se reconnaissent les esprits judicieux et pratiques.

Pour apprécier les textes publiés dans les anciens *Acta sanctorum*, il faut aussi tenir compte de la qualité des pièces dont il s'agit. Celles qui ont échappé à la plaie des remaniements peuvent gagner beaucoup à être reprises par les méthodes perfectionnées dont nous disposons aujourd'hui. Une classe très nombreuse de vieux récits y reste pratiquement rebelle et, si la comparaison d'une longue suite de manuscrits et un relevé minutieux des variantes ne sont jamais complètement dépourvus d'utilité, ces opérations sont souvent sans résultat appréciable, pour le seul but qui importe, la reconstitution du texte primordial.

Les commentaires.

La publication des textes n'est qu'une partie de la tâche assumée par Bollandus et ses collaborateurs. Ils s'astreignent à en faire l'exégèse. Celle-ci est répartie entre les prolégomènes, ou *Commentarius praevius*, et l'annotation. Les questions à traiter d'abord sont celles qui relèvent de l'histoire littéraire : origine, auteur, époque, tradition du document, genre auquel il appartient. Puis, c'est l'interprétation des passages obscurs, l'éclaircissement des difficultés d'ordre linguistique, géographique, historique. Pour faire comprendre la portée d'un texte, il faut souvent entrer fort avant dans l'étude du milieu d'où il est sorti, et comme, dans la majorité des cas, les anciens bollandistes abordaient des sujets entièrement neufs, ils étaient parfois entraînés très loin à la recherche de tout ce qui pouvait servir à éclairer ou à compléter la source principale. Il y avait là une mesure à garder, un écueil à éviter. On ne l'évita pas toujours, et il est regrettable que dans certains articles, qui ont d'ailleurs coûté à leurs auteurs un long travail, les textes soient pour ainsi dire noyés dans le commentaire.

Papebroch nous a laissé dans sa Vie de Bollandus un intéressant exposé des idées auxquelles on s'était arrêté de commun accord sur le programme à suivre. L'imposante ordonnance des *Annales* de Baronius impressionnait alors les imaginations et on s'habituait à considérer le genre « Annales » comme le dernier mot du travail historique. C'est ce qui amène Papebroch à établir un parallèle entre l'œuvre de son maître et celle de l'illustre annaliste, pour lequel il professe d'ailleurs la plus sincère admiration, et il n'a pas de peine à montrer que l'hagiographie scientifique, telle qu'elle s'était constituée, demandait un effort autrement considérable.

« Bollandus et ses successeurs, dit-il, se sont fait une loi de n'apporter aucun témoignage qu'ils n'aient lu et examiné eux-mêmes. Ils croient devoir s'expliquer sur l'époque, le degré de véracité et la circonspection des témoins sur lesquels ils s'appuient de préférence. Ils ne veulent laisser sans discussion rien de ce qui fait mieux connaître le saint. Aucune localité n'est jugée trop obscure, aucune population trop méprisable, aucun pays trop reculé dès qu'ils se sont signalés par le culte d'un saint. Il n'est pas de mot si barbare qu'ils ne cherchent à l'expliquer, autant que le travail humain peut se flatter d'y arriver, en consultant livres et manuscrits, en recourant à la correspondance, en se servant des bons offices des amis que l'on s'est faits un peu partout. Ils n'ont pas tant à se préoccuper de l'histoire générale de l'Église et des grands pays, bien que là aussi il reste beaucoup à faire ; ils travaillent surtout à éclaircir les origines, les développements des évêchés, des villes, des monastères, des Ordres religieux. Et qu'on ne s'imagine pas que l'obligation de donner dans leur texte original les Actes des saints soit un allègement. Elle amène pour eux un surcroît d'études et de travail, obligés qu'ils sont de collationner minutieusement plusieurs manuscrits et souvent, pour arriver à tirer au clair un passage douteux, d'écrire plusieurs lettres. Et puis, avec ce système, il n'y a plus de place pour les habiles réticences ou les négligences que peut se permettre l'écrivain qui n'a pas à rapporter des paroles textuelles, mais simplement le sens des dires d'autrui, et qui le fait tout à sa guise. D'ailleurs, les vieux Actes eux-mêmes ne sont qu'une petite partie de l'œuvre entière. S'il n'y avait pas en outre les commentaires, les annotations, les notices sur les saints dont la Vie n'existe plus ou n'a jamais été écrite et qu'il faut tirer de plusieurs auteurs, on en remplirait à peine un volume (par mois) » (*Act. SS.*, Martii t. 1, p. XX-XXI).

Il est fait allusion dans ces dernières lignes à une catégorie de commentaires indépendants de toute Passion ou de toute Vie ancienne, et où le bollandiste essaye de reconstituer l'histoire du saint au moyen des témoignages éparpillés dans les chroniques et autres sources contemporaines. Parfois, ce sont des notices sommaires, auxquelles on donne le nom de *Sylloge*. Quelques recherches qu'on ait faites, on n'a abouti qu'à recueillir une gerbe de renseignements, qui sont ordinairement tout ce qui s'est conservé de la tradition. A partir des volumes de Septembre, on voit se multiplier les longs commentaires où la gerbe s'amplifie jusqu'à prendre les proportions d'une abondante moisson. Certains personnages de l'Ancien Testament, égarés dans nos calendriers, ont été l'objet de ces copieuses dissertations, très consciencieusement élaborées, mais qui font bien l'effet d'être des hors-d'œuvre. Quel est l'exégète de l'Ancien Testament qui, pour s'orienter dans l'histoire de Moïse, de Josué, de Gédéon, des grands ou des petits prophètes, songera à recourir aux *Acta Sanctorum ?* La question de culte, la seule qui fût vraiment du ressort des hagiographes, se réduirait souvent à une page.

Des saints de la nouvelle Alliance ont été, à l'occasion, traités d'après un système analogue, et l'on peut citer comme exemple saint Jérôme, dont les œuvres ont été surtout mises à contribution. L'énorme et savant commentaire sur saint Jean Chrysostome, qui, comme le précédent, est de Stilting et suppose une connaissance peu commune des œuvres du saint, peut être rangé dans la même catégorie ; car le panégyrique par saint Jean Damascène n'y figure que comme un luxe dont on se passerait volontiers, si l'auteur nous avait donné, comme l'eût fait la génération de Papebroch, le dialogue de Palladius et les autres grands textes grecs, dont la valeur historique n'est point considérable, mais qu'il fallait considérer du point de vue littéraire. Une critique analogue devrait s'adresser à l'important article *de S.*

Michaele et omnibus angelis, 29 septembre. Le texte du Miracle de Chonae n'est point omis, il est vrai. Mais on pouvait s'attendre à le voir suivi d'un autre plus considérable, le Livre des Miracles de saint Michel, par Pantaléon, diacre et chartophylax de la Grande église de Constantinople. Il ne trouva point grâce devant la sévérité du critique. C'est en suivant cette pente que l'on arrivait insensiblement à assimiler aux saints dont les Actes n'existent plus ceux qui n'ont été loués que par des hagiographes et non par les témoins de leur vie.

A côté de la *Sylloge* de tout calibre, où les résultats de la recherche sont condensés, soit en de nombreux chapitres, soit en quelques paragraphes, se détache une série de notices facilement reconnaissables parce qu'elles se réduisent à quelques lignes, revenant à constater que les saints en question figurent au martyrologe hiéronymien. Il n'est pas de jour de l'année où il ne se rencontre quelque liste de martyrs empruntée à cette compilation. On se contente de les enregistrer avec cette remarque qu'il s'agit d'un groupe sur lequel tout autre renseignement fait défaut.

L'admission des saints ou des groupes provenant de cette source suppose que les bollandistes ont cru leur existence garantie et que l'insertion à l'hiéronymien a paru suffisante comme preuve de culte. Et en effet, dès le principe, ils ont remarqué l'importance de la compilation à laquelle on a donné le nom de martyrologe hiéronymien. Rosweyde en faisait un tel cas que, sentant la difficulté créée par l'état de la tradition manuscrite du document, il avait entrepris de faire reproduire en fac-similé le meilleur exemplaire, qui est notre manuscrit E. C'est le plus ancien travail de ce genre dont on ait connaissance [1], et cette initiative fait le plus grand honneur au sens critique du précurseur de Bol-

[1] M. Rooses, *Le plus ancien fac-similé d'un manuscrit,* dans *Bulletin de l'Académie d'archéologie de Belgique,* 1881, p. 295-315.

landus. Mais quelque précieux que fût un pareil secours, il ne pouvait suffire ni à établir le texte du martyrologe ni à en déterminer les sources. L'hiéronymien resta un livre fermé jusqu'au jour où Wright, en 1866, publia le martyrologe syriaque écrit en 411 et qui représente pour nous le martyrologe oriental ; ou plutôt jusqu'au jour où le P. Victor De Buck découvrit que le martyrologe oriental était une des sources de la compilation hiéronymienne [1]. Cette trouvaille donna le branle à l'étude critique du document et l'on put enfin se rendre compte du parti qu'il y a moyen d'en tirer.

L'on sait maintenant que le texte, qui nous est parvenu dans un état de confusion inexprimable, ne doit être employé qu'avec la plus grande circonspection ; qu'à le lire sans le secours des réactifs les plus puissants de la critique, on est exposé cent fois à prendre le Pirée pour un homme, et que les martyrologes historiques, qui donnent parfois le moyen de fixer une leçon isolée, sont des guides trompeurs dans l'étude de ses sources. Nos anciens ignoraient tout cela. L'on n'étonnera personne en disant que la plupart des courtes notices consacrées, dans les *Acta Sanctorum,* à commenter quelques lignes de l'hiéronymien, auraient besoin d'être revues, sinon remplacées, et que les nouveaux bollandistes se préoccupent de reprendre cette partie de l'œuvre qui a nécessairement échappé à la clairvoyance de leurs devanciers [2].

La *Gloria postuma* forme partie intégrante du commentaire complet. Lorsque la popularité d'un saint se maintient pendant de longs siècles et s'étend à un grand nombre d'églises, la liste des monuments qui en gardent la trace prend nécessairement de vastes proportions. Chaque siècle y ajoute,

[1] Voir plus loin, chap. VII.

[2] [On dispose à présent de l'édition critique de dom H. Quentin parue, avec le commentaire du P. H. Delehaye, en 1931 (= *Act. SS., Nov.* t. 2, pars posterior).]

et l'histoire du culte de certains saints est assez importante pour remplir à elle seule un gros volume.

C'est d'abord l'histoire de la fête, inscrite dans les martyrologes, dans les livres liturgiques, dans la littérature, dans l'art, dans les traditions populaires. C'est l'histoire des reliques du saint : la déposition, les translations, souvent aussi leur dispersion par des mains impies ou par des mains pieuses, non moins fatales, hélas ! à leur conservation. Le sanctuaire où le culte du saint s'est confiné, d'où il a rayonné au loin, doit également arrêter l'attention de l'hagiographe, qui a pour tâche de faire connaître ses origines, ses accroissements, sa célébrité se confondant avec celle même du saint, les pèlerinages, les faveurs obtenues. Si le saint a laissé derrière lui quelque institution, l'histoire des développements de son œuvre appartient à sa gloire posthume.

Parmi les textes anciens qui se rattachent à cet ensemble, les plus importants sont les récits de translations et les recueils de miracles [1]. Ils sont souvent du plus grand intérêt pour l'histoire générale et pour la connaissance des mœurs d'un peuple et d'une époque. Aussi ne doit-on pas regretter la place que les documents de ce genre occupent dans les *Acta Sanctorum*. Il en est de même des procès de canonisation du moyen âge. Ce sont parfois des séries considérables, d'où la prolixité n'est pas toujours absente. Mais on est amplement récompensé de la peine qu'il faut se donner pour les éditer et les lire par les résultats qu'en retire l'histoire religieuse et profane. On peut citer encore les lettres d'indulgence et les procès-verbaux de reconnaissances de reliques, et, dans un autre ordre d'idées, les offices, les hymnes, les inscriptions. Ces monuments du culte forment parfois un ensemble si considérable et, il faut bien le dire, si encombrant, que l'on ne saurait prendre pour règle de publier tous

[1] [Voir H. Delehaye, *Les recueils antiques de miracles des saints*, dans *Anal. Boll.*, t. 43 (1925), pp. 5-85, 305-325.]

les textes se rapportant à une manifestation quelconque du culte des saints. Un choix s'impose, dicté par l'importance relative des pièces et par le sujet, celles que l'on publie devant être traitées avec le même soin que les textes biographiques. Les autres seront simplement analysées ou signalées.

Après la suppression de la Compagnie de Jésus, lors du transfert des bollandistes à Bruxelles en 1778, le conseiller d'État Külberg se fit renseigner par les derniers survivants sur l'organisation de l'œuvre. Dans un rapport au prince de Starhemberg, il donne à ce sujet de curieux détails. On lira avec intérêt ceux qui vont suivre et qui complètent ce que nous savons de la méthode adoptée dans l'élaboration des commentaires. Voici son texte [1].

« Les hagiographes, parvenus à traiter d'un certain jour d'un mois, entraient en conférence, rassemblaient tous les saints honorés ce jour-là dans l'Église que renfermaient tous les différents martyrologes connus. Ensuite on délibérait sur les saints de ce jour dont on traiterait et sur ceux qu'on omettrait, soit parce qu'on en avait déjà traité, soit parce qu'il y avait des raisons d'en traiter plus tard ou de n'en point traiter du tout, et l'on rendait compte dans l'ouvrage des raisons qui avaient déterminé à prendre l'un ou l'autre de ces derniers partis. Cela fait, on s'arrangeait sur le partage des ouvrages, et chacun des hagiographes [2] prenait sur soi de traiter tel ou tel saint. Il est bon de savoir que la Vie d'un saint se trouve autant de fois répétée dans les *Acta Sanctorum* sous la date du jour de sa mort qu'elle a été trouvée avoir été écrite de fois par des auteurs connus ou incon-

[1] Dans les dossiers conservés aux Archives générales du Royaume, *Conseil privé*, 742, 743. Nous nous servons de la copie conservée à la Bibliothèque royale de Bruxelles, manuscrit 17674, fol. 31-43, dont nous retouchons légèrement l'orthographe.

[2] La copie, ici et plus loin encore, porte *historiographe*. C'est une distraction. Ce mot a dans le rapport de Külberg un sens très précis, comme on le verra par la suite.

nus, soit en manuscrit, soit par voie d'impression, et les découvertes faites à cet égard en tout temps par les hagiographes sont prodigieuses. Toutes les Vies du même saint, insérées les unes après les autres dans l'ouvrage, font l'objet des observations, des discussions et de la critique des hagiographes, et ils ont été reconnus en tout temps pour avoir excellé en ce genre de travail. C'est la justice que les plus célèbres écrivains, même ceux qu'on n'accusera certainement pas de partialité à leur égard, leur ont rendue avec force et énergie. C'est ainsi que chaque Vie de saint est ramenée au vrai, établi par des preuves que le flambeau d'une discussion et d'une critique aussi saine que sage et solide a éclairées, et dont tout ce qui peut avoir la moindre apparence de légèreté, de faiblesse, de superstition, de fanatisme et d'esprit de parti est banni avec force.

« Lorsqu'un hagiographe, d'après cet esprit, ces principes et cette marche, avait la Vie ou une des Vies du saint qu'il s'était chargé de traiter, il en faisait faire l'impression par quaternions faisant huit pages.

« L'imprimeur en tirait un exemplaire, le portait à l'auteur qui en faisait la correction, et l'exemplaire lui était remis corrigé selon ses remarques par l'imprimeur. Ce n'était que dans ce moment que l'hagiographe auteur faisait passer son ouvrage à chacun de ses confrères selon l'ancienneté. Chacun l'examinait et tenait ses notes. On s'assemblait ensuite et on délibérait sur les changements. Si l'on en trouvait à faire, la décision, en cas de parité, était emportée par l'auteur, comme étant celui qui, ayant traité la chose, était le plus en état d'en juger par lui-même.

« Ce premier imprimé, vu ainsi par l'assemblée, était remis, redressé ou non, à l'imprimeur ; il en tirait un troisième exemplaire que l'auteur revoyait de nouveau, et alors on en tirait huit cents exemplaires [1]. »

[1] Manuscrit 17674, fol. 34v-35v.

Pourquoi suivre l'ordre du calendrier ?

L'application des méthodes inaugurées par Bollandus, perfectionnées par Henschenius et Papebroch, se heurtait à des difficultés dont on ne se rendit compte que vaguement dans les débuts, mais qui ne tardèrent pas à se faire sentir dans toute leur gravité. Les unes provenaient du plan adopté, les autres de l'état de la science et des habitudes littéraires de l'époque.

Il est incontestable que l'ordre un peu artificiel du calendrier, que l'on s'était décidé à suivre, présentait de grands inconvénients. Des saints qui ont vécu à la même époque et ont été unis par des liens intimes, dont la vie offre par conséquent de perpétuels points de contact, sont capricieusement répartis suivant les hasards des anniversaires. Saint Augustin sera traité au 29 août, saint Jérôme au 30 septembre, saint Ambroise au 7 décembre. Même morcellement pour les saints appartenant à un même groupement et unis par un lien historique : ainsi les évêques d'un même diocèse, les personnages illustres d'un même monastère. Chaque fois que l'un d'eux apparaît au calendrier, il faut revenir sur les mêmes questions et, les générations de collaborateurs se succédant, le travail est perpétuellement à recommencer, dans des conditions nouvelles et parfois dans un autre esprit.

Car voici une considération qu'il ne faut point perdre de vue. Certaines solutions fermes et logiques ne sont possibles que lorsqu'on embrasse l'ensemble des textes et que tous les cas analogues sont groupés. On ne peut guère hésiter, par exemple, à se prononcer contre les prétentions de certaines églises à l'apostolicité, lorsqu'on constate qu'un même vent a soufflé sur elles et que leurs légendes font partie d'un cycle, tandis qu'un cas isolé se présentera comme plus plausible.

L'association fortuite à une même date de saints de toutes les époques entraîne aussi une notable déperdition de forces. La liste de chaque jour commence par des martyrs des persécutions romaines, se termine par des saints du quinzième ou du seizième siècle, obligeant les collaborateurs à repasser par toutes les périodes de l'histoire ecclésiastique.

Oserons-nous le dire? Bien qu'évidemment la topographie combinée avec la chronologie constitue pour une œuvre historique le principe d'ordre le plus logique et le plus aisé, il n'est pas certain que les fondateurs du bollandisme se soient trompés en choisissant l'ordre du calendrier. Rosweyde, dit-on, avait songé un instant à s'en affranchir. L'instinct l'y a ramené, et Bollandus, qui avait, pour la réalisation de l'entreprise, les coudées franches, semble n'avoir éprouvé aucune hésitation.

Il ne faut pas se représenter les conditions du travail au début de l'œuvre semblables à celles qui nous sont faites. Les *Acta Sanctorum*, achevés en grande partie, nous livrent un terrain déblayé sur lequel on peut se mouvoir à l'aise. Avant Bollandus, la littérature hagiographique présentait le spectacle d'une inextricable confusion. Si cette littérature avait quelque homogénéité, qu'elle fût composée exclusivement de documents historiques dont les attaches chronologiques sont claires, dont les origines sont faciles à démêler, l'idée d'un groupement dans l'ordre des temps et des pays devait s'imposer à l'esprit ; et pareille disposition ne pouvait amener aucune difficulté d'exécution un peu sérieuse. Mais dans la masse des textes à remuer, quelle variété, que de degrés dans l'échelle historique, depuis le procès verbal authentique et le récit du témoin oculaire jusqu'à la légende anonyme ; que d'incertitudes sur la provenance, la valeur, le sens même de beaucoup de pièces. Trop de problèmes se posaient à la fois, qu'il était impossible alors de résoudre d'une façon satisfaisante.

Un exemple à l'appui aidera à mieux comprendre les obstacles qui se dressaient alors devant l'hagiographe. S'il est une matière homogène et nettement circonscrite, c'est celle des *Acta sincera* de Ruinart, qui entendait réunir dans un volume les Actes historiques des martyrs des premiers siècles, par ordre chronologique. Le recueil fut publié en 1689, lorsque les *Acta Sanctorum*, dont Ruinart se sert beaucoup, comptaient déjà dix-neuf volumes. C'est certainement un excellent ouvrage. Mais on n'a pas de peine à s'apercevoir qu'il ne répond qu'en partie à son programme, car il comprend un bon nombre de Passions dépourvues de valeur documentaire et n'ayant aucun titre à figurer dans un recueil d'*Acta sincera*. L'on sait combien le nombre des Passions historiques s'est réduit depuis qu'on a pu les étudier dans le détail, avec une minutie qu'une première exploration ne comportait pas.

On peut en dire autant d'une autre collection dont les contours sont clairement tracés dans le temps et dans l'espace. Le plan des *Vitae sanctorum Siculorum* du P. Octave Gaetani († 1620) est assurément avantageux. Mais malgré l'appareil scientifique dont il est muni, l'ouvrage est manqué et plein de graves défauts. Alors même que l'auteur eût possédé un jugement critique plus sûr, il n'aurait guère abouti à de meilleurs résultats, parce que, au moment où il composait son recueil, les travaux de cette espèce étaient prématurés et qu'une longue familiarité avec les textes hagiographiques de toute catégorie pouvait seule conduire à une juste appréciation des documents si disparates réunis sous une même étiquette.

Ce qu'il fallait pour créer cette branche nouvelle de la science ecclésiastique qu'est l'hagiographie critique, c'était d'explorer le domaine, en exhumant méthodiquement les textes, et pour cela il était indispensable de se laisser guider par la tradition manuscrite. Or, la tradition entière était dépendante de l'ordre du calendrier : les martyrologes, cela va sans dire, et aussi les passionnaires, les lectionnaires, les synaxaires, les ménologes des Ordres religieux, les collections manuelles depuis la Légende dorée jusqu'au légendier d'Hilarion de Milan. Il n'y avait d'autre guide à travers cette littérature touffue que les dates liturgiques. Était-il prudent de renoncer à ce fil conducteur, pour s'engager dans une œuvre qui exigerait tant de concours divers qu'il n'était pas toujours loisible de chercher parmi des spécialistes?

Et puis, si l'on était décidé à projeter sur tous les textes la lumière de l'histoire, le point de vue hagiographique ne pouvait évidemment être écarté. Or, on s'exposait bien à le sacrifier en se rendant indépendant de l'élément hagiographique par excellence, qui est le jour de la fête. Il n'est pas juste de dire que l'ordre des dates soit un ordre artificiel, comme le serait l'ordre alphabétique des noms. La date n'a pas été choisie arbitrairement : c'est, en général, celle de la mort du saint ou du moins celle qu'a fixée un long usage.

Tout semblait donc inviter Bollandus et ses premiers successeurs à ne point quitter la voie traditionnelle. En l'abandonnant, ils eussent laissé indéfiniment dans l'ombre bien des recoins de l'hagiographie où la lumière a pénétré grâce au système adopté. Il fallait, pour lancer l'entreprise nouvelle, ne pas tenter tout à la fois. Si, au point où l'œuvre est arrivée aujourd'hui, la marche imposée par le plan primitif fait gémir les collaborateurs, qui en sentent durement les désavantages, ils se disent que ce qui paraîtrait souhaitable maintenant, et non moins praticable, ne le serait guère sans la vigoureuse impulsion que la simplicité de l'ordonnance générale a permis de donner à l'entreprise.

De bonne heure on se préoccupa de parer aux inconvénients du plan adopté. Dès 1658, les bollandistes publièrent une série de petits répertoires, où les matières des volumes parus étaient réparties d'après l'ordre géographique. Ainsi ils donnèrent une *Brevis notitia Italiae ex Actis sanctorum Ianuarii et Februarii ab Ioanne Bollando et Godefrido Henschenio S. I. excerpta digestaque per regiones.* Il y eut une *notitia* semblable pour d'autres pays : l'Espagne, la Belgique, l'Allemagne, la France. Les *Breves notitiae triplicis status ecclesiastici, monastici et saecularis* se mettent à un autre point de vue, mais répondent à la même pensée.

Nos savants tentèrent aussi de remédier, dans une certaine mesure, au morcellement par des travaux d'ensemble qui étaient publiés en tête des volumes des *Acta Sanctorum*, à mesure qu'ils étaient terminés. Ainsi les grandes monographies sur les listes épiscopales d'Alexandrie, de Jérusalem, de Milan, de Constantinople, de Tongres, et le volume consacré par Papebroch à la suite chronologique des papes. En guise d'introduction au tome 1er de Juillet, Janninck publia un bon travail sur les saints d'Ombrie, où il étudia tout un cycle de légendes. Pour éviter d'avoir à revenir sur certaines particularités de la liturgie grecque, on plaça en tête du tome 2 de Juin la dissertation du P. Rayé sur la matière. Plus tard, le P. Pien fit un travail analogue sur la liturgie mozarabe.

L'extrême variété des matières amenait souvent à constater que, sur certains sujets, les travaux préparatoires faisaient défaut. Dans la mesure du possible, on suppléait à ces lacunes, et c'est ce qui décida Papebroch à écrire son essai sur la diplomatique, ses recherches sur les indulgences et tant d'autres dissertations de moindre ampleur, disséminées dans ses commentaires et dans le *Propylaeum* de Mai.

Aujourd'hui c'est dans les revues que nous déverserions le trop-plein de nos cartons. Les anciens bollandistes n'avaient que leurs in-folio, et c'était la seule place possible pour certaines dissertations, comme celle du P. Pien sur les diaconesses, celle de Stilting sur la conversion des Russes.

La plupart de ces travaux se rattachent étroitement à l'hagiographie et ont leur raison d'être. On ne peut nier pourtant qu'ils ne contribuent à alourdir la collection.

CHAPITRE CINQUIÈME

L'ÉPREUVE

L'exploration de la terre inconnue qu'était alors l'hagiographie devait amener bien des surprises. Nous ne parlons pas de celles qui attendent l'érudit engagé dans des voies nouvelles et le payent de son labeur par la joie de la découverte. Les résultats inopinés n'étaient point tous d'ordre spéculatif.

Pendant des siècles, la lecture de la Vie des saints avait créé un état d'esprit particulier. Littérature mélangée s'il en fut, où l'élément historique côtoie les libres inspirations de la fantaisie pieuse, elle présentait aux regards de la foule comme un vaste tableau de la vie chrétienne, dont les diverses scènes répondaient également à la réalité et ne se distinguaient que par l'intensité du coloris. Toutes au même degré semblaient dignes d'arrêter le regard, et les nuances importaient peu. La Vie des saints transportait le fidèle dans une atmosphère d'idéal et de surnaturel qu'il était tenté de prendre pour les conditions normales de la perfection chrétienne, ne soupçonnant guère que, dans ces peintures séduisantes, le peintre avait souvent mis beaucoup du sien. L'étude des textes et le groupement des sujets devaient révéler le rôle de l'art, qui force souvent la nature. Si jusque-là on connaissait un peu l'hagiographie, on ignorait les hagiographes, et nul ne soupçonnait de quoi certains sont capables.

Ce que l'on savait beaucoup moins encore, c'est la manière dont s'était développé le culte des saints et les nombreux facteurs qui avaient concouru à lui donner ses formes dernières, formes étranges quelquefois jusqu'à devenir choquantes, mais que l'on jugeait vénérables et couvertes par l'autorité de l'Église. Aux doutes et aux hésitations des esprits réfléchis, il était de règle d'opposer l'argument de la « vigilance des pasteurs », revenant à supposer que rien ne s'était jamais établi, en cet ordre de choses, à l'insu des autorités ecclésiastiques et sans leur sanction formelle. D'autre part, on se refusait à croire que les évêques eussent pu être mal informés sur des faits qui intéressaient à un si haut degré l'honneur de leurs églises. C'était oublier la part prépondérante de l'élément populaire dans l'évolution du culte des saints, l'indifférence affectée des théologiens du moyen âge et des gardiens de l'orthodoxie pour des matières qu'ils mettaient visiblement en dehors du domaine de la foi et reléguaient dans le champ voisin de la piété, où nulle contrainte ne règne.

En remontant aux origines de certains cultes, il était inévitable de rencontrer des erreurs ; parfois, mais plus rarement, des supercheries que, précisément, le défaut de vigilance avait rendues possibles. Le plus ordinairement la dévotion envers un saint avait pour principe la possession d'une relique, restes vénérables qui le rendaient en quelque sorte présent dans son église. Comment elle y était arrivée, on ne cherchait pas à le savoir. Qui se disait alors que la pratique romaine, unique sauvegarde de l'authenticité des reliques, avait été malheureusement abandonnée depuis longtemps ; que les corps saints et les parcelles avaient été transportés dans des conditions rendant tout contrôle impossible ; que d'étranges confusions avaient dû nécessairement se produire ? Au moment où quelque ville de France ou d'Allemagne élevait une basilique sur le corps d'un martyr venu de loin, on ne soupçonnait pas qu'une église d'Italie ou d'Orient prétendait, avec titres à l'appui, avoir gardé intact le trésor qu'on lui disputait.

Certaines statistiques élémentaires, dont on ne s'était jamais avisé, suffisaient, dans ces conditions, à poser des problèmes dont il devenait impossible de dissimuler la gravité. Contester la légitimité du culte d'un saint, élever des doutes sérieux sur l'authenticité de ses reliques, c'étaient là des conclusions qui, la plupart du temps, ne pouvaient rester à l'état de théorie, mais réclamaient des mesures pratiques d'une application souvent délicate. Comment faire comprendre aux fidèles que certains errements n'engagent pas l'autorité de l'Église? Comment supprimer, sans causer de scandale, des dévotions qui sont entrées dans la vie du peuple? Et d'autre part, comment les maintenir lorsqu'on est convaincu qu'elles manquent de fondement? Avouer l'erreur semble faire le jeu des hérétiques, qui ne cessent de dénoncer les abus du culte des saints et des reliques. Il est bien entendu que jamais personne n'a enseigné aux fidèles que les Vies des saints méritent la même créance que l'Évangile; mais c'est un fait que les fidèles sont portés à le croire. Dès lors, n'est-il pas dangereux, au point de vue de la foi, de détruire certaines illusions de la piété?

Ce sont là les objections qui ont dû venir à l'esprit des timides et faire douter de l'opportunité du contrôle de la science sur l'hagiographie. Il n'est que trop naturel qu'une opposition ait pu se dessiner, dans les milieux peu éclairés, contre une entreprise qui allait déranger tant d'idées reçues, heurter de vieilles habitudes, réveiller des responsabilités endormies. Si elle ne s'est pas fait jour au premier instant, cela tient à ce que les conséquences de ces recherches critiques ne se sont pas manifestées aussitôt. Bollandus ne les ignorait pas, car des objections avaient déjà surgi avant que le plan de Rosweyde eût été soumis à l'approbation des supérieurs. Elles ne firent que le confirmer dans ses projets et le convaincre davantage de la nécessité de l'œuvre à entreprendre. Toutefois il sentit que, sans rien sacrifier de la vérité, il avait des ménagements à observer dans l'énoncé de certains résultats, dont le grand public pouvait être choqué, mais que les lecteurs intelligents devaient être à même d'entendre. C'est à ceux-ci qu'il fallait s'adresser, en leur fournissant les éléments d'une opinion raisonnée.

Quand l'initiation fut jugée suffisante, on aborda plus résolument les problèmes délicats, tout en gardant dans l'expression la réserve commandée par l'état des esprits. La modération dans la forme, sorte de voile discret jeté sur la crudité des conclusions, a généralement été observée par les collaborateurs de Bollandus et leurs successeurs au temps de leurs plus grandes audaces — s'il est permis de prononcer ce mot à propos de loyales recherches sur des sujets libres — et jamais il ne prêtèrent le flanc à leurs adversaires par des excès de langage.

Aussi ne recueillirent-ils d'abord que des éloges, et, sauf les contestations inévitables dans le camp de l'érudition, aucun incident désagréable ne vint les distraire de leurs travaux. Mais un orage se préparait dans l'ombre, et c'est sur la tête de Papebroch, l'homme au franc-parler, qu'il éclata. Quelque désir que l'on puisse avoir de ne point raviver le souvenir d'une querelle stérile et depuis longtemps oubliée, il n'est pas permis de passer sous silence un épisode qui entraîna de si graves conséquences. Il suffira d'en rappeler les péripéties essentielles.

La querelle avec les Carmes.

A la date du 29 mars avaient paru les Actes de saint Berthold, premier prieur du Carmel. Dans le commentaire, les éditeurs, désireux d'éviter des débats irritants, s'étaient abstenus de se prononcer sur l'immémoriale antiquité de l'Ordre, qui prétendait remonter au prophète Élie. Les Carmes se montrèrent peu satisfaits de cette réserve et, par l'organe du P. François de Bonne-Espérance, dans son *Historico-theologicum Carmeli armamentarium* [1], ils sommèrent les bollandistes de dire leur opinion, qu'ils entendaient bien être conforme à leurs prétentions.

L'occasion se présenta tout naturellement d'aborder la question lorsque, au tome 1er d'Avril, il fallut éclaircir les Actes de saint Albert, patriarche de Jérusalem et auteur de la règle des Carmes. Le travail échut à Papebroch, qui s'expliqua en toute franchise et démontra que la tradition de l'Ordre était en ce point dépourvue de fondement. Ce fut chez les intéressés une explosion de colère et d'indignation [2]. Aussitôt commença la guerre des pamphlets ; l'on vit paraître une nuée de libelles aux titres grotesques qui essayaient de jeter le discrédit sur le consciencieux critique, coupable d'avoir exprimé l'avis qu'on lui demandait.

On ne connaît pas les incidents qui marquèrent la première phase des hostilités, car, durant de longues années, les bollandistes, jugeant qu'ils avaient mieux à faire que de relever les accusations dont on les accablait, n'opposèrent à leurs contradicteurs que le silence. Il y avait vingt ans que l'attaque avait commencé, lorsque Janninck, en 1695, crut nécessaire de publier l'*Apologia pro Actis Sanctorum*, précédée de deux lettres où il protestait contre les calomnies dont son maître était l'objet dans un gros mémoire qui venait de paraître sous le titre : *Exhibitio errorum quos P. Daniel*

[1] Anvers et Cologne, 1669. Le nom de famille du P. François est Crespin.

[2] Papebroch n'en fut sans doute pas trop surpris. Il avait eu l'occasion de voir à Florence, comme dans d'autres couvents des Carmes, des peintures qui s'inspiraient des légendes en cours et représentaient notamment la Vierge revêtue de l'habit du Carmel. On lui apprit que le grand-duc de Toscane, Ferdinand, ayant exprimé son étonnement et demandé s'il y avait de ces représentations des exemples plus anciens, le prieur des Carmes répondit avec plus d'esprit que de sérieux que dans cent ans les peintures que l'on faisait alors seraient anciennes. *Act. SS.*, Maii t. 1, p. LI.

Papebrochius Societatis Iesu suis in notis ad Acta Sanctorum commisit. L'auteur, qui se nommait Petit, en religion le P. Sébastien de Saint-Paul, provincial des Carmes, en avait fait un violent réquisitoire contre le téméraire assez osé pour porter la main sur les titres de noblesse de l'Ordre du Carmel.

Ce volume, justement oublié, reflète assez exactement l'état d'esprit de la réaction contre la critique et, bien que l'auteur ait constamment en vue la défense des traditions qui l'ont mis en campagne, il se sert de toutes les armes propres, dans sa pensée, à ruiner la thèse, la méthode et surtout le crédit de son adversaire. Les arguments sont ceux qui reviennent périodiquement sous la plume des demi-lettrés dont les bollandistes dérangent les idées. Les procédés sont ceux de la passion : citations tronquées, propositions détournées de leur sens, nuances forcées, insinuations malveillantes, soupçons d'hérésie, excitations malignes, en un mot tout ce qu'un esprit agité peut inventer pour perdre un contradicteur.

Le système de défense adopté par le P. Sébastien est simple. Papebroch est dénoncé comme un homme qui ne respecte rien et qui est de connivence avec les infidèles et les hérétiques ; ses principes subversifs mettent en péril les traditions les plus sacrées. L'argument négatif est son arme préférée, arme meurtrière, perfide et qui ne laissera debout aucune des choses que l'on est habitué à respecter. Sur de simples conjectures, Papebroch nie les faits les mieux établis. Et quelles conjectures : *coniecturis exsibilatione potius quam responsione dignis!* Chez lui la satire, le sarcasme, les injures tiennent lieu de raisons. Pour réfuter des histoires approuvées par le Siège apostolique ou communément acceptées, le bollandiste se sert d'une foule d'auteur païens, sarrasins, juifs, hérétiques ou condamnés par l'Église. En tête de la liste figurent Suétone et Tacite, puis Josèphe ; plus loin Aeneas Sylvius et beaucoup d'autres aussi détestables.

L'énumération des erreurs imputées à l'hagiographe était de nature à faire impression sur le public auquel était destiné le factum. Que penser d'un homme qui non seulement se mêle de corriger à tout propos Baronius, mais qui trouve à redire à la chronologie des papes, qui rejette les Actes de saint Silvestre, le baptême de Constantin par ce pontife, la donation de Constantin, et qui conteste l'authenticité des décrétales, la lettre du pape Formose aux évêques d'Angleterre, la bulle sabbatine de Jean XXII?

Les récits de l'Assomption de la Vierge, poursuit son adversaire, sont par lui tenus pour apocryphes, tout comme les Actes de saint Procope, loués pourtant par le concile de Nicée, et les Actes de saint Judas-Cyriaque, où est racontée l'Invention de la Sainte Croix ; de même une foule de Passions de martyrs comme celles de sainte Catherine, de sainte Barbe, de saint Barbarus, des saints Alexandre et Antonine, de sainte Pélagie et de beaucoup d'autres. L'apostolat en Gaule de Marthe et de Marie-Madeleine ne trouve pas grâce devant lui. Saint Denys l'Aréopagite n'est pas l'évêque de Paris ; décapité, il n'a point porté sa tête dans ses mains ; il n'est point l'auteur des écrits sur la *Hiérarchie céleste*. Le dragon de saint Georges n'est qu'un mythe, tout comme celui de saint Théodore. Papebroch refuse l'auréole du martyre à tous les chrétiens immolés par Julien. Ses idées sur l'origine du monachisme sont insoutenables. Ainsi, il ne veut pas que saint Fronton ait été, vers l'an 150, le père de soixante-dix moines. De même qu'il n'admet pas l'existence des images peintes par saint Luc, il refuse d'accorder qu'il y ait eu des églises dédiées à la sainte Vierge durant les premiers siècles et conteste l'antiquité du culte de saint Joseph. A l'en croire, saint Athanase ne serait pas l'auteur du traité *De virginitate* ni du symbole qui porte son nom, et le sermon sur l'Assomption attribué à saint Jean Damascène est suspect. Ni au dixième siècle ni avant, il n'était question d'indulgences de trois ans, de cinq ans, de sept ans ou plus, et les célèbres listes d'indulgences de Saint-Sébastien et de Saint-Martin-aux-Monts à Rome ne sont pas authentiques.

Ce ne sont là que des exemples pris un peu au hasard dans le vaste répertoire, divisé en vingt-quatre sections, où il est démontré qu'il n'est pas un coin du domaine de l'érudition sacrée qui n'ait été ravagé par la critique du bollandiste. On devine quels peuvent être la rigueur et surtout le ton de la réfutation proprement dite. Des arguments, parfois décisifs, que Papebroch n'omet jamais d'apporter, de son expérience dans l'appréciation des documents et des faits, son adversaire ne tient aucun compte. Ce qu'on plaide, c'est qu'il n'avait pas le droit de toucher à des traditions reçues, approuvées par les papes, recommandées par l'Église, consignées dans les bréviaires et les martyrologes. Le mémoire n'a pas même les apparences d'une discussion scientifique. C'est une longue dénonciation devant l'opinion religieuse et les tribunaux ecclésiastiques. Car le volume est dédié au pape Innocent XII, qui ne pouvait manquer, on y comptait bien, de condamner un écrivain aussi mal pensant et d'accorder du même coup l'appui de son autorité aux prétentions de l'Ordre lésé.

Pour arriver à ces fins, il fallait, à Rome, se ménager des appuis. Sébastien de Saint-Paul avait songé à tout. Papebroch, disait-il, s'était exprimé plus d'une fois de manière à faire entendre qu'il mettait les évêques au-dessus des cardinaux. Puis, il se mêlait de choses qui étaient du ressort de la Sacrée Congrégation des Rites, pour laquelle il témoignait, d'ailleurs, peu de respect, et les traditions romaines étaient traitées par lui avec la même désinvolture que toutes les autres. Tout cela était soigneusement souligné par le pamphlétaire et devait, d'après ses calculs, produire une profonde impression sur les cardinaux qui auraient à juger l'œuvre de Papebroch.

Ce n'était pas assez. Dans leur acharnement, nos ennemis se défiaient des lenteurs et de la sagesse romaines et, pour arriver plus sûrement au résultat, les *Acta Sanctorum* avaient été, dans le plus grand secret, déférés en même temps à l'Inquisition d'Espagne. Celle-ci ne se fit point prier. Le 14 novembre 1695, paraissait un décret « contre les livres des PP. G. Henschenius et D. Papebroch », c'est-à-dire contre les *Acta Sanctorum* de Mars, d'Avril et de Mai, y compris le *Propylaeum* de Mai. L'Inquisition de Tolède prohibait la lecture et la vente de ces volumes, sous peine d'excommunication et d'amende. Voici les considérants de cette sentence :

« Ces ouvrages contiennent des propositions erronées, hérétiques, sentant l'hérésie, périlleuses en matière de foi, scandaleuses, offensives des oreilles pies, schismatiques, séditieuses, téméraires, audacieuses, présomptueuses, gravement offensantes pour plusieurs papes, le Siège apostolique, la Sacrée Congrégation des Rites, le bréviaire et le martyrologe romains, ravalant trop les excellences de plusieurs saints et de beaucoup d'écrivains ; plus des clausules irrévérencieuses pour beaucoup de saints Pères et de très graves théologiens ecclésiastiques. Semblablement ils contiennent des propositions offensantes pour l'état religieux de plusieurs Ordres, notamment celui des Carmes et de leurs écrivains graves appartenant à diverses nations et spécialement à l'Espagne... Et enfin ces ouvrages contiennent mainte louange donnée à des hérétiques ou aux fauteurs d'autres doctrines détestables, prohibées et condamnées par les Souverains Pontifes et par l'Église, doctrines dont ces ouvrages usent pour attaquer les traditions des saints et de l'Église. »

Nous traduisons ce texte sur l'exemplaire de l'affiche en quatre langues [1], où se reconnaît, écrit de la main de Pape-

[1] Conservé à la bibliothèque des Bollandistes. Nous ne citons pas la traduction française qui occupe la troisième colonne de l'affiche. On serait tenté d'y voir l'œuvre d'un mauvais plaisant.

broch, ce simple mot : *legi*. Le vaillant critique, qui avait laissé passer tant d'injures, reçut encore ce rude coup avec beaucoup de calme, mais il jugea que, du moment où l'on suspectait sa foi catholique, l'honneur du corps dont il faisait partie exigeait qu'il se justifiât. C'est ce qui le décida d'abord à écrire la *Responsio Danielis Papebrochii ad Exhibitionem errorum*, qui parut en trois parties, en 1697 et en 1698, et où il reprend, point par point, les griefs articulés par le provincial des Carmes. En même temps, il agissait auprès de l'Inquisition d'Espagne, à laquelle il fit remettre des mémoires en latin et en espagnol.

On trouva d'abord un prétexte pour ne pas les recevoir ; puis, on lui permit de présenter une apologie secrète, en espagnol. Elle resta toute une année sans réponse. Dans une lettre au grand inquisiteur, Papebroch demandait qu'on lui indiquât les propositions hérétiques visées par le décret ; il se déclarait prêt à les rétracter si elles n'étaient pas susceptibles d'être interprétées dans le sens catholique. Cet important personnage ne daigna pas répondre.

Encouragés par leurs succès, le P. Sébastien et ses émules crurent que le moment était venu de tenter à Rome un effort décisif et d'achever leur adversaire. Dès qu'ils eurent vent des nouvelles démarches, les bollandistes députèrent à Rome un des leurs, le P. Janninck, chargé de se rendre compte des dispositions de la Curie et d'agir en conséquence. Janninck se mit en rapport avec les cardinaux et les reviseurs et chercha à connaître leurs principaux griefs. Il vit aussitôt qu'il y avait lieu de dissiper bien des préjugés créés par le décret ; mais de propositions hérétiques, il n'était pas question.

Les démarches de quelques amis, parmi lesquels Mabillon [1], et les siennes propres, ainsi qu'un mémoire justificatif

[1] Sur l'intervention de Mabillon, voir l'article du P. Albert Poncelet, *Mabillon et Papebroch*, cité plus haut. [Sur l'aide apportée

remis aux cardinaux ne furent pas sans résultats. Il acquit bientôt l'assurance que la censure de l'Inquisition d'Espagne ne serait pas confirmée à Rome. Et en effet, aucune condamnation ne suivit celle du *Propylaeum Maii*, qui finit par être mis à l'Index [1]. Encore était-il expressément marqué dans le décret qu'on ne visait que ce qui était rapporté dans ce volume au sujet de certains conclaves, et l'on ne demandait que la correction de ces passages.

Papebroch, qui fut médiocrement ému de cette condamnation, semble s'être préoccupé beaucoup moins de s'y soustraire que de se laver de l'accusation infamante portée contre lui en Espagne. Janninck essaya d'obtenir de Rome la satisfaction qu'on sollicitait en vain à Tolède. Il insista auprès du Saint-Office pour qu'on n'hésitât pas à signaler les hérésies qui pourraient se trouver dans les volumes condamnés ; au cas où l'on n'en découvrirait point, il demandait qu'on voulût bien en donner acte publiquement. Les démarches furent continuées sans résultat jusqu'en juin 1700. Tout le monde, à Rome, savait à quoi s'en tenir sur la censure espagnole, mais on n'était pas d'humeur à la désavouer. Janninck n'avait plus qu'à retourner à Anvers.

Cet insuccès causa un vif chagrin à Papebroch, qui se souciait fort peu des attaques et des censures tant qu'elles n'allaient pas jusqu'à mettre en doute la pureté de sa foi, mais qui ne souffrait pas qu'on jetât sur son orthodoxie le plus léger soupçon. On le vit bien lors de la grave maladie qui, en 1701, le réduisit à l'extrémité. Se croyant sur le point de mourir, après avoir reçu les derniers sacrements, il dicta une protestation solennelle dans laquelle il demandait au

par Du Cange, voir l'article (cité ci-dessus, p. 59) de M. COENS, *Du Cange et les Acta Sanctorum*, p. 564-567.]

[1] Le décret fut promulgué le 22 décembre 1700. Le *Propylaeum* ne fut retiré de l'Index que sous Léon XIII. La première édition où il ne figure plus est celle de 1900.

pape Clément XI une réhabilitation qu'il n'avait pas obtenue de son prédécesseur. Elle était conçue en ces termes :

« Moi, Daniel Papebrochius, prêtre indigne de la Compagnie de Jésus, après avoir employé à éclaircir les Actes des saints environ quarante-deux ans d'un travail assidu, je puis bien le dire, travail diversement apprécié, loué par la plupart, attaqué par d'autres, comme il arrive communément ; maintenant que le Seigneur m'appelle, j'en ai le ferme espoir, à la compagnie des saints, je n'ai qu'un désir sur la terre, c'est qu'on fasse appel à l'équité de Notre Saint Père le pape Clément XI et qu'on le supplie de ne pas me refuser après ma mort ce que j'ai vainement, durant ma vie et à plusieurs reprises, sollicité de son prédécesseur Innocent XII.

« J'ai demandé à Innocent XII qu'en vertu de l'autorité qu'il exerce sur toute l'Église, il daignât m'indiquer ou qu'il me fît indiquer par l'Inquisition d'Espagne les propositions hérétiques condamnées comme telles dans mes livres en 1695, afin que, si j'avais, sans le savoir, écrit quelque hérésie, on me le fît connaître pour me permettre de me rétracter ; que si l'Inquisition d'Espagne n'arrivait pas à découvrir dans mes livres des propositions hérétiques, elle effaçât du moins de son décret le terme d'*hérésie*, pour sa bonne renommée comme pour la mienne.

« C'est ce que je demande à Sa Sainteté le pape Clément, sur le point de mourir et de rendre au juste juge compte de toutes mes actions ; qu'il m'accorde du moins après ma mort ce que je n'ai pu obtenir de mon vivant. Catholique j'ai vécu ; je veux mourir catholique par la grâce de Dieu et j'ai le droit de mourir catholique devant l'opinion, ce qui ne sera pas aussi longtemps que le décret de l'Inquisition d'Espagne aura l'apparence d'avoir été formulé en toute justice et tant qu'on y lira que j'ai enseigné des propositions hérétiques et que j'ai été condamné pour cela. »

Papebroch terminait sa déclaration en remerciant tous ceux qui lui étaient venus en aide durant sa longue carrière d'écrivain et pardonnait chrétiennement à ses ennemis. Le document fut lu par-devant notaire et en présence de plusieurs témoins. Papebroch, aveugle, ne put tracer qu'une croix en guise de signature.

L'avènement de Clément XI, qui n'était autre que le cardinal Jean-François Albani, l'ami et le protecteur déclaré de l'œuvre bollandienne, avait fait naître de grandes espérances et on put croire que le nouveau pape se déciderait, malgré les répugnances de la cour de Rome, à s'immiscer dans les affaires de l'Inquisition d'Espagne, à faire tout au moins des représentations dont il serait tenu compte. Les bonnes dispositions du pape échouèrent devant les exigences de la politique et, en 1705, quand on eut acquis la conviction que la mesure réparatrice ne pouvait partir que de l'Inquisition elle-même, Janninck, qui projetait un nouveau voyage à Rome, y renonça. Il se disposait à partir pour l'Espagne, lorsqu'on apprit que le P. Cassani, professeur à Madrid et qualificateur du Saint-Office, se déclarait prêt à prendre en main la cause des hagiographes. Ses services furent agréés et, avec un zèle qui, durant neuf années entières, ne se démentit pas un instant, il poursuivit l'œuvre de la réhabilitation de Papebroch. Sa persévérance fut couronnée de succès et, au mois de janvier 1715, on vit, non sans surprise, afficher à la porte des églises un décret rapportant la condamnation de 1695. La lecture des *Acta Sanctorum* si solennellement proscrits était désormais permise, moyennant quelques corrections dont la futilité achevait de montrer avec quelle précipitation le tribunal avait procédé [1]. C'était la justification pleine et entière de Papebroch.

[1] Dans le *Propylaeum* de Mai, la censure n'atteignait que les *conclavium historiunculae*. Dans le tome 3 de Mars, on lisait, à propos des généalogies du Christ, que la plupart des commentateurs

Hélas ! le vaillant lutteur n'était plus là pour goûter la joie du triomphe ; il était mort six mois auparavant (28 juin 1714).

Les actes de rigueur et les menées persévérantes des ennemis de Papebroch tournaient à leur confusion et finissaient par jeter sur l'œuvre un éclat nouveau. Malheureusement ce ne fut pas leur seul résultat. Pendant sept années entières, les travaux furent interrompus et l'élan donné par la prodigieuse activité de Papebroch fut brisé. L'agitation provoquée par les controverses et les intrigues alourdit l'atmosphère. De longues années encore, on continua d'en subir la secrète influence. Les ouvriers au travail, se sentant épiés, regardent autour d'eux pour éviter de donner prise à un ennemi invisible. Près d'un demi-siècle après les événements, le feu couve encore sous la cendre et menace de se ranimer au premier souffle.

En 1748, le pape Benoît XIV avait écrit confidentiellement à l'Inquisiteur d'Espagne, qui avait mis dans son index les œuvres du cardinal Noris, plusieurs fois examinées à Rome sans jamais avoir été condamnées, pour lui faire des représentations au sujet d'un acte si grave. « Afin de faire comprendre à l'Inquisiteur d'Espagne, écrivait-il à Muratori, le 25 septembre 1748, que les ouvrages des grands hommes ne doivent pas être condamnés, quoiqu'on y trouve des choses qui déplaisent et qui mériteraient la prohibition si elles étaient l'œuvre d'autres auteurs, nous citâmes l'exemple des bollandistes, de Tillemont, de Burnet et le vôtre [1]. » Une indiscrétion jeta dans le domaine public cette lettre d'un caractère strictement privé. L'allusion aux anciennes

avaient suivi l'Africain *temere*. Ordre de corriger en *facile*. Dans le tome 1er de Mai, l'Inquisition exigeait la suppression d'une phrase sur la bibliothèque de l'Escurial, *ubi codicum manuscriptorum cadavera asservantur et putrescunt*. Le reste est à l'avenant.

[1] Voir É. DE HEECKEREN, *Correspondance de Benoît XIV*, t. 1 (1912), p. 484.

querelles fut méchamment exploitée, et l'on feignit d'y découvrir que Benoît XIV, autrefois l'ami et l'admirateur des bollandistes, avait changé de sentiments à leur égard. Mis au courant de ces bruits aussi malveillants que peu fondés, le pape n'hésita pas à les démentir. Dans une lettre du 3 avril 1751 au P. Stilting et à ses collaborateurs, il expose avec beaucoup de simplicité ce qui s'est passé et déclare que, s'il a été amené à rappeler les « cruelles censures » dont Papebroch a été la malheureuse victime, il a été bien éloigné de les ratifier ou de leur donner une approbation, et que rien dans cette correspondance, nullement destinée d'ailleurs à la publicité, ne donnait le moindre appui aux conclusions qu'on se plaisait à en tirer. Le ton affectueux et plein d'abandon de la lettre du pape était de nature à dissiper tout malentendu. Les bollandistes s'empressèrent de la faire imprimer pour la répandre et la reproduisirent en tête du tome 4 de Septembre (1753), avec la réponse qu'ils envoyèrent au pape. L'accueil fait par ce dernier au P. Stilting et au P. Suyskens, arrivés à Rome en 1752, répondit de tout point aux sentiments exprimés dans la lettre.

Il faut croire que l'agitation occasionnée par cet incident, insignifiant en apparence, ne fut pas purement superficielle et qu'elle eut des conséquences assez graves pour motiver la publication en 1755 du gros in-folio intitulé *Acta Sanctorum bollandiana apologeticis libris in unum volumen nunc primum contractis vindicata*. La dédicace à Benoît XIV est signée par un éditeur anversois, mais le volume, anonymement préfacé par le P. F. A. Zaccaria, a été certainement imprimé en Italie. Comme l'indique le titre, c'est un recueil de mémoires justificatifs publiés d'abord séparément par Janninck, Papebroch et autres, à l'occasion des controverses suscitées à diverses époques autour des *Acta*. Les démêlés avec les Carmes et avec l'Inquisition d'Espagne y occupent la place principale, et le mémoire le plus important est la *Responsio* de Papebroch.

La réponse de Papebroch.

Ce n'est pas sans quelque mélancolie que l'on parcourt ces pages que l'illustre critique, plus persuadé que personne de la stérilité des polémiques, n'écrivit qu'à contre-cœur. Le temps dépensé à relever les bévues et les calomnies de Sébastien de Saint-Paul eût été si utilement employé à poursuivre l'œuvre ! Papebroch ne se décida à la lutte que sur les instances de ceux dont les désirs étaient pour lui des ordres. Jugeant sans doute qu'à un adversaire retors il ne fallait laisser aucun prétexte à de nouvelles arguties, il reprit, article par article, l'acte d'accusation et ne laissa sans explications aucune des propositions dont on lui faisait un crime. Il suit pas à pas son contradicteur, sans hésiter à revenir, puisqu'on l'y oblige, sur les mêmes sujets. La discussion est animée, la réplique est vive mais sans aigreur ; pas une injure, parfois une épigramme finement aiguisée, et souvent l'expression de la lassitude qu'il éprouve à se mesurer avec un pareil adversaire. De tout l'échafaudage lourdement agencé, Papebroch ne laisse rien debout.

La plupart des thèses qu'il entreprend de défendre nous paraissent aujourd'hui banales et on ne se soucie guère, à notre époque, de relire des polémiques sur des sujets très nouveaux alors, sur des faits autrefois contestés, mais depuis acquis définitivement à la science [1]. Ce qui conserve tout son intérêt, c'est la fermeté avec laquelle, à ces moments où l'on travaillait à créer un conflit entre la critique et l'autorité, Papebroch revendique une saine et honnête liberté sans laquelle le travail scientifique est impossible ; c'est la netteté des principes qu'il oppose à de vagues déclamations.

[1] [A leur tour, les Carmes ont rendu justice aux vues de Papebroch. Voir, en dernier lieu, l'ouvrage *Élie le prophète,* Paris-Bruges, 1956 (= *Études Carmélitaines,* 35e année) ; cf. *Anal. Boll.,* t. 75 (1957), p. 227-228.]

On lui reproche d'usurper un rôle qui n'est pas le sien en se mêlant de questions qu'il faut laisser à la décision des chefs ecclésiastiques. Il fait voir que ces choses ont un côté par où elles n'échappent pas à la libre recherche et qu'il ne s'arroge aucun des droits que l'autorité s'est réservés. « L'opinion que vous combattez, lui dit-on, est celle d'un évêque ; la vôtre sera condamnée. » — « Je respecte infiniment les évêques, répond-il, mais le sacre ne donne pas la science, et le problème dont il s'agit se résout par des raisons et non à coups de crosse. »

Il a rejeté au rang des légendes un trait que les vieux auteurs racontent de saint Joseph. A-t-il bien remarqué que plusieurs saints Pères l'ont accepté comme historique? Papebroch regrette qu'ils aient commis cette erreur, mais rien ne pourra faire que l'épisode ne soit emprunté à un apocryphe qui ne mérite aucune considération.

A tout instant il s'entend dire, à propos de légendes, que ce sont là des histoires approuvées et qu'il n'a pas le droit de les révoquer en doute. « On vous permet de les réciter, réplique-t-il ; vous appelez cela une approbation et une preuve de leur vérité? »

Il est sans cesse obligé de revenir sur l'autorité du bréviaire, du missel, du martyrologe. Ses adversaires confondent l'autorité historique du bréviaire avec l'obligation, pour les prêtres, de s'en servir. Conclure de l'un à l'autre, c'est ignorer la manière dont ce livre s'est formé. Les leçons dites historiques du bréviaire sont des extraits ou des résumés de Vies de saints plus anciennes. Celles-ci ont parfois une haute valeur documentaire, mais elles peuvent n'en point avoir, et il est aisé de citer des leçons qui ne font qu'abréger des Actes universellement reconnus comme apocryphes. Si une leçon a de l'autorité historique, elle la tient des Actes d'où elle provient, plutôt que les Actes n'en acquièrent par le fait d'être représentés dans le bréviaire. C'est une simple application du principe qu'en histoire la valeur d'un document se mesure à la valeur de la source.

Dans les missels, il n'y a guère de partie historique proprement dite. Il y a des éléments dont l'histoire peut tirer parti, mais il peut s'y glisser aussi des erreurs relatives aux saints, et la preuve en est dans les corrections qu'on leur fait subir de temps en temps.

Quant aux martyrologes, il faut oublier leur origine et même leur physionomie, si sujette à être défigurée par les copistes, pour leur accorder une confiance aveugle. Ce n'est pas rendre suspect le martyrologe romain que de le ramener à ses sources, de rappeler que Baronius, chargé de le composer, a pris pour base Usuard, dont il n'était guère à même de découvrir les nombreuses erreurs ; qu'il s'est surtout préoccupé de le compléter, et que ses additions n'ont pas toujours été heureuses. Ainsi, la plupart des saints grecs lui ont été fournis par une compilation peu soignée de Sirlet, et il a puisé à certains Actes dont le caractère fabuleux n'a été reconnu que plus tard. Pour entreprendre sur Usuard le travail préliminaire qui s'imposait, il aurait fallu partir du martyrologe hiéronymien, et Holstenius, dès qu'il avait eu connaissance de ce document par une copie du manuscrit d'Echternach, communiquée par les bollandistes, s'était rendu compte du parti qu'on pouvait en tirer. Ce précieux secours manquait à Baronius, dont les travaux méritent d'ailleurs le plus grand respect. Mais est-il étonnant qu'une compilation faite aussi rapidement et avec des matériaux si incomplets et si peu sûrs ait dû être corrigée, en plus d'un endroit, du vivant de son auteur et que les nouveaux moyens dont on dispose permettent d'y relever des fautes presque à chaque page [1] ?

[1] [Voir, à présent, *Martyrologium Romanum... scholiis historicis instructum* (Bruxelles, 1940 ; = *Propylaeum ad Acta Sanctorum Decembris*).]

Et s'il faut porter ce jugement sur une œuvre sérieuse en somme et toute de bonne foi, que dire de certains recueils comme le martyrologe espagnol de Tamayo, réceptacle des traditions fabuleuses de son pays et répudié en Espagne même par les vrais savants ; du martyrologe franciscain d'Arthur du Monstier, où les titres de saint et de bienheureux sont distribués sans discernement à tous les personnages qui ont laissé un renom de vertu?

Les lettres pontificales étaient fréquemment invoquées contre Papebroch. Quelle est son audace de contester des faits rapportés dans les bulles des papes? Il ne se montre nullement ému d'une pareille accusation. Dans les documents de cette espèce, il faut distinguer ce qu'ils affirment au nom du pape et ce qu'ils rapportent sur le dire des solliciteurs ou selon l'opinion courante, dont ils ne se portent point garants par cela seul qu'ils la mentionnent.

Les adversaires de Papebroch le rappelaient constamment au respect de la tradition comme au premier de ses devoirs. Une tradition, répétaient-ils, est d'autant plus respectable qu'elle est plus ancienne et plus universellement reçue.

Il fait remarquer qu'on s'y prend mal pour juger une tradition d'après son antiquité. Celle-ci doit être mesurée, non par rapport à nous, mais par rapport à l'événement. Comme exemple d'une tradition ancienne et *receptissima*, il cite la légende de sa ville natale. Anvers (Antwerpen) avait été débarrassée de la tyrannie du géant Antigonus par un brave nommé Brabo, qui lui coupa la main et la jeta dans l'Escaut. Il fut un temps où tout le monde admettait l'étymologie *Antwerpen* = *hant* (main), *werpen* (jeter), et la citait comme confirmation de l'histoire d'Antigonus et de Brabo, assurée encore par les armes de la ville, qui portent deux mains coupées. Personne ne doutait d'un fait qui avait laissé des traces si visibles dans le langage et dans les monuments. Or, maintenant, les enfants eux-mêmes rient de cette fable. En hagiographie, beaucoup de cas analogues se présentent. Ne voyons-nous pas, par exemple, que la tradition de Denys l'Aréopagite, évêque de Paris et martyr, née au neuvième siècle, longtemps acceptée par tout le monde, finit par être abandonnée même en France?

D'ailleurs, Papebroch n'est pas de ceux qui prennent ces choses au tragique et il comprend que certains milieux aient quelque attachement à des traditions qui les enchantent. Mais il y faut de la modération, et ces questions-là ne doivent pas être envenimées. Que ses adversaires prennent modèle sur les gens de Cologne :

« Ils se contentent, pour l'histoire de sainte Ursule, de la fable initiale qui, pour le peuple, ne fait aucun doute. Ils n'y ajoutent pas sans cesse de nouveaux ornements et ne se déclarent pas gravement offensés lorsqu'on ne partage pas leur sentiment. Ils ne citent pas leurs contradicteurs devant les tribunaux, les accusant d'être les ennemis jurés de leur Église, envieux de sa gloire et contempteurs de ses reliques. Mais ils continuent simplement à honorer le pape saint Cyriaque, qui aurait été martyrisé chez eux, et à montrer sa tête coiffée de la tiare, sans qu'on les inquiète beaucoup à ce propos [1]. »

Mais s'il revendiquait une grande liberté vis-à-vis des traditions dans les milieux scientifiques, Papebroch ne voulait pas qu'on entamât ces questions en présence d'un public incompétent et mal préparé.

« Indigne serait la conduite d'un prédicateur qui, pour flatter la foule ignorante et se faire bienvenir d'elle, exalterait en termes magnifiques et inculquerait à son auditoire des traditions populaires sans fondement sur les antiquités sacrées ou profanes du pays, alors qu'il n'y croirait pas lui-même et sachant qu'aucun homme respectable et instruit

[1] *Responsio*, t. 2, p. 362.

n'y ajoute foi. Mais, selon moi, il serait bien plus mal inspiré et plus indiscret celui qui, invité à entendre les confessions ou à prêcher dans un couvent de carmélites, par exemple, commencerait par inquiéter ces religieuses sur des questions controversées et fâcheuses, sur les opinions acceptées dans leur Ordre et désapprouvées ailleurs. Son zèle importun n'aurait d'autre effet que de lui aliéner les cœurs, de troubler la communauté, souvent de scandaliser la ville entière et d'attirer sur sa conduite le blâme de ceux-là mêmes qui partageraient son avis sur le fond des choses. Il y a bien des sujets que l'on peut sans inconvénient, très utilement même, discuter dans les écoles et remuer dans les livres, mais qu'il ne convient pas de traiter devant des femmes ou d'agiter devant le simple peuple, si facile à scandaliser en ces matières [1]. »

Ce sont là des allusions transparentes à des faits regrettables et contemporains.

A propos des reliques, on croyait l'acculer à des conclusions inacceptables. « Il faudra, disait-on, d'après vous, que toutes les reliques dont l'authenticité n'est attestée que par la tradition, sans aucune attestation écrite contemporaine, soient soustraites au culte et jetées au fumier. »

« Pas nécessairement, répond Papebroch, s'il n'y a aucune bonne raison de douter de leur authenticité. » Mais il ne dissimule pas la difficulté de la tâche dévolue aux évêques par le concile de Trente et avoue qu'on en est réduit, en ces matières, à procéder souvent *ex piae credulitatis affectu*, plutôt que sur des données certaines. L'enquête conduit fréquemment à constater qu'une relique a été reçue de bonne foi et provient d'un endroit où elle était honorée ; ou bien qu'elle a été trouvée, comme étant de tel ou tel saint, avec des indices de culte déjà ancien. Mais de tels arguments

[1] *Ibid.*, p. 376.

peuvent tromper et trompent souvent, et l'on est bien obligé de s'en contenter [1].

Sébastien de Saint-Paul avait provoqué Papebroch sur la relique du Saint-Sang de Bruges, en lui reprochant son ingratitude envers une cité à laquelle la Compagnie de Jésus avait de si grandes obligations. Son crime était, cette fois, de n'avoir pas, à la date du 3 mai, consacré un commentaire détaillé à cette importante relique et de renvoyer simplement le lecteur aux auteurs brugeois, comme si le sujet ne méritait pas d'être traité dans les gros volumes des *Acta Sanctorum.*

Il n'y avait de la part de Papebroch aucun dédain ; mais il avait été heureux, sans doute, de s'abriter derrière la règle adoptée pour les fêtes de cette catégorie : celle du Saint-Sang est simplement annoncée dans les *praetermissi* avec cette note : *De hac solemnitate videri possunt Molanus in Natalibus sanctorum Belgii et scriptores de rebus Brugensibus et Flandricis.*

A l'impertinente provocation du P. Sébastien, Papebroch répond finement :

« Est-ce à dessein, est-ce pur hasard, que vous vous êtes abstenu de nommer Molanus? Si vous l'avez lu, vous saurez qu'à propos de cette relique il n'y a guère moyen d'écrire beaucoup de pages, pas même une demi-page. Vous aurez appris aussi par la note de Molanus, à l'endroit cité et qui reproduit simplement la doctrine de saint Thomas, à laquelle tout catholique doit tenir fermement, que nous avons fait preuve de beaucoup de discrétion en nous abstenant de traiter la question ; que nous n'aurions pu plaire aux Brugeois

[1] Papebroch ajoute : «Aequum enim est ut ibi subsistat humanae inquisitionis diligentia ubi ulterior labor esset frustraneus, et a superstitionis periculo tuta sit reliquias venerantium religio, quatenus ea tendit in primarium suum obiectum, id est sanctorum honorem, etsi fortassis eorum ipsae non essent, quae ut tales proponuntur. » *Responsio,* t. 2, p. 366 ; cf. t. 1, p. 351.

qu'en la décidant contrairement à l'enseignement théologique communément reçu et à l'avis de saint Thomas lui-même. Je doute fort que vous, professeur émérite, vous osiez vous y risquer. Car quoi que vous fassiez, ou vous mécontenteriez le peuple ou vous vous attireriez les colères de l'École ; double écueil qu'on n'évite qu'en gardant le silence [1]. »

Un des expédients de la tactique du P. Sébastien était de jeter dans la balance les révélations privées et de vouloir trancher des questions historiques par des visions dont de saints personnages avaient été favorisés. Papebroch s'élève contre ces principes subversifs de toute critique et rappelle sa dissertation *De sanctarum ecstaticarum, secundum species naturaliter praehabitas durante raptu quandoque motarum, dictis factisque ad historicarum quaestionum decisiones non transferendis* [2].

Mieux que toutes les théories, quelques exemples bien choisis font comprendre sa pensée. Sainte Marie-Madeleine de Pazzi eut une vision sur la manière dont Notre-Seigneur fut attaché à la croix. Sa description répond bien, dit Papebroch, aux peintures de notre époque, mais elle est en contradiction formelle avec les révélations de sainte Brigitte sur le même objet.

La bienheureuse Colombe de Rieti eut une apparition de saint Jérôme avec son lion, et le lion resta auprès d'elle toute la nuit. Cependant tout le monde sait que le lion n'appartient pas à saint Jérôme, mais à saint Gérasime. Toutefois, depuis que, par suite d'une confusion des hagiographes, il est devenu la caractéristique du saint docteur, quand celui-ci voudra se faire connaître, il ne pourra mieux faire que de se montrer avec ce compagnon. Supposons une apparition de saint Jacques. S'il ne se présente pas avec

[1] *Responsio,* t. 2, p. 417.
[2] *Act. SS.,* Maii t. 6, p. 246-249.

la pèlerine, le bourdon, la courge et les coquilles, il faudra, pour établir son identité, une nouvelle révélation.

Autre exemple. A la suite d'une vision, sainte Marie-Madeleine de Pazzi a voulu peindre le portrait de saint Louis de Gonzague et lui a donné une chevelure blonde. Or, comme le prouvent les portraits faits du vivant du saint, à Castiglione et ailleurs, il avait les cheveux châtains [1].

Et ce ne sont pas seulement les images visuelles de tous les jours qui apparaissent chez les extatiques. Parmi les prières attribuées à sainte Catherine de Sienne par des autorités respectables, il en est une qui nie l'Immaculée Conception de la sainte Vierge [2]. « Si cette prière est vraiment de la sainte, disait le P. Lancicius, une autorité en ces matières, il faut dire qu'elle a parlé cette fois, non sous l'influence d'une révélation divine, mais d'après son sentiment personnel, comme fille spirituelle des Pères dominicains, qui lui avaient enseigné cette opinion. » La citation empruntée à Lancicius par Papebroch mérite d'être continuée : « Car il faut savoir, poursuit-il, que, quand certaines personnes parlent dans l'extase, elles expriment souvent leurs propres idées et parfois même de simples hallucinations. Ceci est tout à fait certain, les hommes d'expérience le savent et les histoires authentiques le confirment. Moi-même, je pourrais nommer des saintes canonisées par le Saint-Siège et dont j'ai lu les paroles prononcées dans l'état de ravissement ou les écrits qui s'en inspirent. Or, dans ces écrits se rencontrent des hallucinations si caractérisées qu'il a fallu pour cette raison en interdire l'impression. »

On voit combien l'attitude de Papebroch était franche et résolue aussi longtemps qu'on restait sur le terrain de l'érudition, prudente et réservée dès qu'il en franchissait

[1] *Responsio*, t. 2, p. 384.

[2] *Dialogi D. Catharine Senensis virginis sanctissime in sex tractatus distributi* (Ingolstadt, 1583), f. 320.

les limites pour s'adresser aux simples. Le reproche de jeter par sa critique le trouble dans les âmes retombait sur ceux qui initiaient le public à des discussions auxquelles les savants seuls pouvaient entendre quelque chose. C'est ainsi qu'on a vu en d'autres temps des censeurs trop zélés dénoncer le scandale qu'eux-mêmes avaient provoqué, en attaquant dans la presse quotidienne des travaux qui, sans eux, ne seraient jamais tombés sous les yeux du vulgaire.

Les principes qui guidaient Papebroch dans sa recherche scientifique sont la sagesse même. On n'a jamais trouvé à y redire et, de nos jours encore, on peut les suivre en toute sécurité. L'application pourra devenir plus rigoureuse à mesure que les méthodes se perfectionnent et que l'horizon hagiographique s'élargit. Présentés au public dans une synthèse claire au lieu d'être dispersés dans un livre de polémique, ils auraient constitué un manuel de critique hagiographique que l'on consulterait toujours avec fruit.

Nul ne saurait se flatter d'apporter à tous les problèmes d'érudition des solutions définitives ni d'être universellement écouté comme un oracle. Une œuvre vraiment scientifique appelle nécessairement la discussion, et les bollandistes eurent plus d'une fois l'occasion de profiter de la contradiction en se rangeant à l'avis d'un adversaire compétent et courtois, comme le fit Papebroch vis-à-vis de Mabillon. En dehors de cette escrime académique, à laquelle tout érudit doit être exercé, il y eut encore quelques escarmouches, où l'esprit de corps eut plus de part que le zèle de la science.

L'Oratorien Laderchi s'offusqua d'une parole attribuée à saint Philippe Néri et qui fut sans doute jugée trop honorable pour saint Ignace. Les titres de noblesse de saint Dominique, que l'on prétendait rattacher à la famille des Guzman, furent bruyamment revendiqués par quelques Dominicains. Ce fut nouveau une guerre de pamphlets, avec quelques dissertations qui semblèrent mériter une réponse. La controverse commença en 1734 et finit en 1736 [1]. Elle n'eut aucune des conséquences de la grande querelle avec les Carmes.

Quelques autres incidents qui troublèrent un instant les paisibles labeurs du musée bollandien ne valent guère la peine d'être rappelés, sauf peut-être les démêlés du P. Du Sollier avec Dom Bouillart. Saint-Germain-des-Prés avait refusé au bollandiste, pour son édition d'Usuard, le plus ancien manuscrit, l'autographe, à ce qu'on prétendait, de ce martyrologe [2], et il avait dû se contenter d'une collation insuffisante, sauf à recourir, pour éclaircir ses doutes, à la complaisance de quelques amis parisiens. Il avait du reste fort bien apprécié cet exemplaire et suppliait les Bénédictins de le publier. L'édition parut en 1728. Elle était anonyme. L'auteur, D***, était Jacques Bouillart, qui en fit une œuvre de polémique aigre et déplaisante. Il aggrava ses incorrections en envoyant au P. Du Sollier un exemplaire de son Usuard avec une lettre anonyme pour lui dire que, s'il y avait quelque chose dans son livre qui pût lui déplaire, il était prêt à lui donner « toute la satisfaction convenable ». Le P. Du Sollier se plaint dans sa réponse de ces mauvais procédés :

[1] Un recueil de pièces relatives à cette controverse est conservé dans le manuscrit 8430-8434 de la Bibliothèque royale de Bruxelles. Voir aussi *Acta Sanctorum bollandiana apologeticis libris vindicata*, p. 896-1008.

[2] Wattenbach, *Deutschlands Geschichtsquellen*, 7e éd., t. 1, p. 67, affirme que Longnon s'est prononcé sur ce point. Cela n'est pas tout à fait exact. Voici ce qu'écrit cet érudit à propos du manuscrit latin 13745 de la Bibliothèque nationale de Paris : « Dans une petite notice latine, inscrite sur un des feuillets de garde du manuscrit, Mabillon n'hésite pas à reconnaître cet exemplaire du martyrologe pour le manuscrit autographe d'Usuard. Les sceptiques pourraient tout au plus prétendre que le copiste auquel on doit cet exemplaire du martyrologe était seulement un contemporain d'Usuard. » *Notices et documents publiés par la Société de l'Histoire de France* (Paris, 1884), p. 10.

« Mon Révérend Père, je vous pardonne de m'avoir écrit sans date, mais je trouve assez peu de bienséance à m'envoyer des étoiles au lieu de votre nom... Soyez persuadé que je prends toutes vos réponses et toutes les douceurs que vous me dites dans le sens que votre lettre m'explique, sans prétendre aucune satisfaction, ni de vous ni de ceux qui liront votre livre, que celle de vouloir bien confronter ensemble les endroits que vous tâchez de réfuter par lambeaux détachés, de confronter, dis-je, passages avec passages, ce qui me déchargera de vous suivre, pour servir de réplique, à laquelle vous ne devez pas vous attendre, mon Révérend Père, puisque vous ne pouvez ignorer que j'ai bien autre chose à faire que de relever une poignée de minuties, qui ne feront jamais aucun préjudice au dessein de tout mon ouvrage. Je me sais bon gré de vous avoir contraint à publier votre codex et j'ai toujours été dans la vraie disposition de vous épargner cette peine, si vos Pères eussent voulu user envers moi de la même complaisance qu'avait eue autrefois pour eux le P. Papenbroucq en leur envoyant l'autographe vrai ou prétendu de Thomas a Kempis, dans un temps aussi dangereux que celui auquel je les ai fait prier tant de fois de m'accorder cette grâce plus pour leur intérêt que pour le mien. On est assez convaincu par ce que j'ai dit dans ma préface et ailleurs que je n'ai pu agir plus honnêtement et que tout autre que moi, avec les secours dont j'ai dû me servir, ne pouvait se former un jugement plus sensé de votre Usuard que celui que j'ai porté, avec un peu plus de modération que vous n'avez la bonté de faire par rapport à mon édition, qui est cependant à l'abri de votre critique et qui saura bien se maintenir sans aucune apologie [1]. »

[1] Les lettres de Dom Bouillart et du P. Du Sollier ont été publiées par Mgr De Ram à la suite d'une traduction de la *Dissertation sur les martyrologes* de Binterim (Louvain, 1835), p. 30-32.

Du Sollier s'en tint à cet accusé de réception. N'eut-il pas raison d'étouffer une querelle littéraire dont il n'y avait nul fruit à attendre?

CHAPITRE SIXIÈME

LA RUINE

Nous n'avons pas à rappeler ici les intrigues qui aboutiront à la suppression de la Compagnie de Jésus, ni la situation créée à ses membres, durant des années, par le pressentiment et bientôt la menace d'une ruine prochaine et par les convoitises que fit naître, dans divers milieux, la perspective d'une liquidation. Une curieuse lettre du 29 mai 1767, adressée au comte de Cobenzl, ministre de Marie-Thérèse à Bruxelles auprès du duc Charles de Lorraine, par P.-F. de Nény, président du Conseil privé, montre que dès lors on se préoccupait du sort de l'œuvre bollandienne, et ce qu'elle pouvait attendre des agents du gouvernement autrichien.

« M. V. ... m'a prié de le recommander à Votre Excellence pour la place de surintendant de la bibliothèque des bollandistes ; car il est fort persuadé que les bénits pères démé-nageront de nos provinces. Pour donner poids à la supplication, il veut voler de cette bibliothèque et se propose de présenter à Votre Excellence le plus beau Pline de l'univers... Il y a aussi quelque prix pour ma recommandation : c'est je ne sçai quel livre grec extrêmement rare. »

Et le ministre de répondre le lendemain :

« Quoique la demande de M. V. ... soit une corruption pour vous et pour moi, j'accepte la proposition, bien entendu que je me réserve le beau tableau de Van Dyck qui est dans la salle de la Sodalité [1]. »

[1] Extraits publiés par CH. PIOT, *Le règne de Marie-Thérèse dans les Pays-Bas autrichiens* (Louvain, 1874), p. 71.

Ce marché honteux fut sans doute ignoré des bollandistes, mais ils savaient certainement, car ce n'était un mystère pour personne, ce qui se tramait dans les chancelleries et à quels dangers ils étaient exposés. Y eut-il vers 1770, date de la publication du tome 3 d'Octobre, une accalmie, et les supérieurs se jugèrent-ils assurés d'une sécurité relative? On est tenté de le penser en les voyant organiser, à côté de l'œuvre bollandienne et en quelque sorte avec son concours, une entreprise littéraire nouvelle.

Il existait à Malines, sous le nom de Musée Bellarmin, un établissement analogue à celui des bollandistes, comprenant une bibliothèque et un corps d'écrivains chargé de publier des œuvres de controverse [1]. Dans la seconde moitié du dix-huitième siècle, la polémique religieuse s'étant ralentie dans nos provinces, on songea à donner à cette institution une autre direction. Précisément à cette époque, le gouvernement, témoin du succès de l'œuvre bollandienne, résolut de confier aux jésuites de la province flandro-belge la publication d'une collection de travaux sur l'histoire du pays, sous le titre d'*Analectes Belgiques*. Les négociations traînèrent en longueur, mais aboutirent enfin sous le provincialat du P. Clé, ancien bollandiste, qui fit agréer du général de la Compagnie une combinaison affectant à la nouvelle entreprise le capital de 50 000 florins du Musée Bellarmin. Le P. Ghesquière [2] fut détaché des *Acta Sanctorum* et chargé de la direction du nouveau musée créé à côté du musée bollandien, dans la Maison professe d'Anvers. On

[1] Voir l'article *Clé (Jean)*, dans De Backer, *Bibliothèque des écrivains de la Compagnie de Jésus*, t. 1 (1869), col. 1296-1297; Gachard, *Mémoire historique sur les bollandistes et sur leurs travaux* (Gand, 1835), p. 8-10.

[2] [Notice biographique de J.-H. Ghesquière, par Ch. Piot, dans *Biographie Nationale*, t. 7 (1883), col. 719-725, en attendant l'étude plus développée que mériterait cette carrière aux aspects si multiples.]

lui adjoignit trois collaborateurs, Donatien Dujardin, Philippe Cornet et François Lenssens. En peu de temps, de nombreux matériaux furent rassemblés et un prospectus lancé sous ce titre : *Prospectus operis quod inscribitur Analecta Belgica ad XVII provinciarum Belgii ac ditionum interjacentium historiam dilucidandam pertinentia.* La publication devait comprendre trois sections. La première serait consacrée à des recherches sur les provinces et sur les peuples des Pays-Bas à l'époque celtique, romaine et franque, durant la période féodale et ainsi de suite. Les *Acta Sanctorum Belgii* formeraient la seconde section. La troisième serait une collection de chroniques belges, en latin, en français et en flamand, auxquelles s'ajouteraient les diplômes.

La nouvelle organisation commençait à peine à fonctionner, lorsqu'elle fut entraînée, avec l'œuvre bollandienne, dans la grande ruine de l'Ordre. Le 20 septembre 1773, la bulle de suppression de Clément XIV fut rendue exécutoire en Belgique [1]. A la Maison professe d'Anvers, le conseiller Van den Cruyce avait ordre « de faire comparaître les ci-devant jésuites employés à la rédaction des *Acta Sanctorum* et de leur déclarer que le gouvernement, satisfait de leurs travaux, pourrait être disposé à avoir pour eux des égards particuliers [2]. » Le comité institué pour liquider l'affaire de la suppression des jésuites donne, au sujet des bollandistes, les avis les plus disparates et les plus contradictoires. Tantôt l'ouvrage est déclaré n'être « point propre à propager les connaissances humaines » ; tantôt on fait valoir la réputation dont il jouit et on le juge « utile à l'Église et propre à jeter un nouveau jour sur l'histoire ecclésiastique ». Un des projets consiste à charger l'Académie de la continuation des *Acta Sanctorum* et de la nouvelle entreprise des

[1] [Consulter P. Bonenfant, *La suppression de la Compagnie de Jésus dans les Pays-Bas autrichiens* (Bruxelles, 1925).]

[2] Gachard, op. cit., p. 14.

Analecta Belgica. Sur le rapport du prince de Kaunitz, il fut d'abord décidé que les anciens collaborateurs y seraient employés. Ceux-ci restèrent provisoirement à la Maison professe d'Anvers et continuèrent leurs travaux [1].

En 1775, on leur signifia d'avoir à quitter ces locaux destinés à servir d'abri à une académie militaire. Il fallut tout abandonner, livres et manuscrits, et l'œuvre faillit définitivement sombrer. Durant trois années entières se poursuivirent les pourparlers et les négociations. Les bollandistes offrirent de se retirer dans quelque abbaye qui voudrait les accueillir et où ils pourraient former des successeurs. Cette proposition fut prise en considération, et l'abbé des chanoines réguliers de Saint-Augustin du Caudenberg à Bruxelles, G.-J. Warnots, se déclara prêt à leur donner asile. Un décret du 19 juin 1778 fit enfin connaître la volonté de l'impératrice au sujet de la continuation des *Acta Sanctorum* et des *Analecta Belgica*. Il réglait le transfert de l'établissement des bollandistes à Saint-Jacques du Caudenberg, fixait la pension des trois survivants, De Bye, De Bue et Hubens, et celle de Ghesquière, définitivement chargé des *Analecta*, donnait des instructions sur le recrutement, sur la vente des volumes, le transport de la bibliothèque, et prenait des mesures pour hâter l'achèvement de l'ouvrage [2].

Le rapport déjà cité de Külberg donne sur ces mesures des détails qu'on lira volontiers : « Toutes mes observations, dit-il, dans la discussion de cet objet, au comité, furent de donner à l'ouvrage toute la brièveté possible dans la rédaction et toute l'accélération possible dans le travail.

[1] [Sur la période troublée qui va de 1773 à 1794, comparer P. PEETERS, *L'œuvre des Bollandistes*, p. 52-79. L'auteur y fait état d'une documentation en partie nouvelle, notamment au sujet des démarches tentées à Vienne par le nonce apostolique Giuseppe Garampi ; celles-ci ont été mises en lumière par une publication d'A. MERCATI, « *Bollandiana* » *dall' Archivio Segreto Vaticano* (Rome, 1940)].

[2] GACHARD, op. c., p. 20-23.

« Voici les points dont on est convenu pour atteindre cet objet. 1o) On n'omettait ci-devant rien de ce qui avait trait à la vie d'un saint ; tout fait, indistinctement, dès qu'il y avait rapport, soit dans la réalité, soit dans l'opinion, y était discuté et mis dans le creuset de la plus saine critique pour être adopté ou rejeté. Nous avons jugé que, pour abréger l'ouvrage, on pouvait très bien prendre résolution de ne plus discuter dans les commentaires que les questions et les faits qui seraient de quelque importance.

« 2o) On a été constamment dans l'usage, comme il a été dit ci-dessus, d'insérer en entier dans l'ouvrage toutes les Vies d'un saint qui se trouvaient déjà publiées, par l'impression dans d'autres ouvrages connus et répandus. Nous avons jugé que cette répétition était inutile, qu'il suffisait de donner une seule de ces Vies en mettant, de la manière la plus courte, sous les yeux du lecteur, ce qu'il y a de plus remarquable dans les autres ainsi indiquées et qui ne se trouve pas dans celle qu'on transcrit ou qui s'y trouve d'une autre manière ; et que ce ne serait que dans des circonstances particulières et pour des raisons très fortes qu'on se permettrait d'insérer au long les Vies du même saint déjà données par d'autres écrivains.

« 3o) Quels que fussent, en qualité et espèce, les miracles qu'on attribuait de toutes parts à quelque saint, ils étaient soumis tous, indistinctement, à l'analyse et à la critique des hagiographes. On a jugé qu'on pouvait abréger cette marche en ne faisant plus entrer dans l'ouvrage que les miracles établis d'une manière avérée et en ne s'expliquant sur tous les autres que par quelque courte remarque.

« 4o) Des Vies de saints que les hagiographes prouvaient fabuleuses et qu'ils rejetaient comme telles se trouvaient néanmoins transcrites au long, quoique déjà publiées par d'autres écrivains. Mais on a jugé qu'on pouvait éviter cette prolixité inutile et qu'il suffirait de faire voir, par de simples extraits tirés de ces Vies, qu'elles sont effectivement fabuleuses, en indiquant d'ailleurs au lecteur où il pourrait les trouver en entier.

« C'est ainsi qu'on est convenu dans le comité de s'y prendre et de travailler.

« Mais cette réforme, qui abrégera l'ouvrage d'un cinquième, doit-elle être annoncée au public dans le prospectus ? J'ai été d'avis et ces messieurs sont convenus avec moi que non [1]. »

L'abbé de Caudenberg fit tout ce qui était en lui pour faciliter l'installation. Le transport de la bibliothèque préoccupait beaucoup les hagiographes. Livres et papiers avaient été mis sans ordre et sans inventaire dans des caisses, en 1775, lorsque la Maison professe avait reçu sa nouvelle destination. « Dans le mois d'octobre 1778, on commença de transporter à l'abbaye de Caudenberg les papiers des bollandistes. Ceux-ci avaient, au milieu de leur bibliothèque, à Anvers, un grand bureau avec deux cent quarante tiroirs, divisés par mois et jours de l'année, qui renfermaient les actes relatifs aux saints, et les écrits déjà préparés sur les Vies de ces saints. Ce bureau fut replacé à Caudenberg. Tous les documents qui y avaient été contenus furent retrouvés dans le meilleur ordre. Les manuscrits et les papiers du *Museum Bellarmini* furent de même successivement transportés à l'abbaye. Les hagiographes et l'abbé Ghesquière en donnèrent reçu. Quant aux livres qui composaient les bibliothèques des deux établissements, on en fit un triage ; on leur remit aussi, sous récépissé, ceux qu'ils désignèrent comme étant nécessaires pour la continuation de leurs travaux ; une autre partie fut destinée à être vendue avec les livres des jésuites ; le reste fut déposé à la bibliothèque royale [2]. »

[1] Bibliothèque royale de Bruxelles, ms. 17674, f. 38^{v}-39^{v}. Ici encore nous corrigeons quelques fautes de copiste.

[2] Gachard, op. c., p. 27.

Ces préparatifs demandèrent deux années entières et ne furent achevés qu'en 1780. Comment les hagiographes avaient trouvé le moyen, au milieu de tant de tracas, d'imprimer un volume des *Acta Sanctorum*, je ne me charge pas de l'expliquer. C'est précisément en 1780 que parut à Bruxelles, à l'imprimerie royale, le tome 4 d'Octobre.

Le plus jeune des bollandistes, Ignace Hubens, mourut deux ans après. Suivant les conventions, on avait fait choix de deux jeunes religieux de l'abbaye pour les associer au travail des *Acta Sanctorum*, F.-J. Reynders et J.-B. Fonson, tous deux de Bruxelles. Le premier, se sentant peu apte aux travaux scientifiques, y renonça. L'initiation du second était trop incomplète pour qu'on pût songer à lui donner la succession de Hubens. Le gouvernement appela Dom Anselme Berthod, bénédictin français de la Congrégation de Saint-Vanne, grand-prieur de Luxeuil, qui avait visité les bollandistes au temps de leur prospérité et manifesté pour leurs travaux la plus sincère admiration [1]. Il arriva à Bruxelles le 9 octobre 1784. Sa carrière d'hagiographe ne fut pas longue. Il mourut trois ans après, en mars 1788.

Nous n'avons pas à nous occuper spécialement ici des *Analecta Belgica*, ni du projet de Ghesquière de fonder une Société des Antiquaires de Bruxelles et de l'opposition que l'Académie fit à ce projet [2]. Il faut pourtant mentionner les *Acta Sanctorum Belgii*, qui réalisèrent une partie du plan tracé pour les *Analecta*. Les cinq premiers volumes furent publiés à Bruxelles de 1783 à 1789. Les deux premiers sont l'œuvre de Ghesquière ; les trois suivants furent faits en collaboration avec Corneille Smet, ancien jésuite. Le sixième volume parut en 1794 à Tongerloo ; le nom du cha-

[1] Voir l'article de Dom U. Berlière dans *Revue Bénédictine*, t. 16 (1899), p. 193-209.

[2] P. Verhaegen, *Projet d'une société d'archéologie à Bruxelles en 1779*, dans *Annales de la Société d'archéologie de Bruxelles*, t. 27 (1913), p. 107-116.

noine Isfride Thys y est associé à celui de Ghesquière. Il ne pouvait être question de suivre, dans une collection spéciale et d'un caractère nettement historique, l'ordre du calendrier. L'ordre chronologique fut adopté. Le tome 6 s'arrête au deuxième tiers du huitième siècle. Lorsque s'organisa en Belgique la Commission royale d'histoire, qui fut l'héritière de l'organisation des historiographes d'Anvers, bientôt personnifiée dans le seul Ghesquière, on se décida à continuer les *Acta Sanctorum Belgii*, et Mgr De Ram accepta de prendre sur lui cette tâche. Le projet n'eut point de suite. Il fut repris par le bollandiste Albert Poncelet qui avait préparé la matière de deux nouveaux volumes, mais fut supris par la mort en 1912.

L'œuvre bollandienne était à peine reconstituée qu'une nouvelle catastrophe vint fondre sur elle. L'abbaye de Caudenberg, atteinte par les réformes de Joseph II, fut supprimée sans ménagement et cessa d'exister le 23 mai 1786. Il fallut chercher un nouveau refuge. Le gouvernement ordonna aux bollandistes de se transporter, avec leur bibliothèque, dans une partie des locaux de l'ancien collège des jésuites, à Bruxelles, qui avait pris le nom de collège Thérésien. Quatre mois furent employés à mettre un peu d'ordre dans la nouvelle installation, et c'est pour nous un nouveau sujet de surprise de constater que le tome 5 d'Octobre, signé des noms de C. De Bye, J. De Bue et J.-B. Fonson, porte précisément le millésime de cette année fatale. Une activité si peu en rapport avec les circonstances s'explique sans doute par l'insistance du gouvernement impérial, qui ne cessait de se plaindre de la lenteur des travaux. Déjà, en 1784, l'empereur avait fait savoir qu'à l'avenir il s'attendait à voir paraître tous les ans au moins un volume des *Acta*, de manière à terminer la collection en dix ans. Les bollandistes n'eurent pas de peine à montrer qu'on leur demandait l'impossible. Mais leur perte était décidée.

D'après un calcul de la Chambre des comptes, la suppression des deux organismes, qui n'avaient cessé de marcher de pair, devait faire réaliser au Trésor une économie de 2000 à 3000 florins par an. On oubliait de rappeler que, grâce à une excellente administration, les bollandistes étaient parvenus, à l'époque de l'extinction de l'Ordre, à amasser un capital de 136 000 florins ; que cette somme, augmentée des 50 000 florins qui constituaient le capital du Musée Bellarmin, était entrée dans les caisses de l'État et que la vente des livres servait à couvrir une partie des dépenses.

Un avis complaisant fut demandé à la Commission ecclésiastique et des études. Dans un de ses rapports, elle se disait « bien éloignée de partager la prétendue vénération profonde dont l'Europe savante serait imbue à l'égard des *Acta Sanctorum* », et terminait par cette réflexion, dont on lui fut sans doute reconnaissant : « Au reste, l'objet principal qui doit occuper le gouvernement est de se débarrasser des frais. » Le 16 octobre 1788, la décision était prise : les bollandistes et les historiographes avaient à cesser leurs travaux et, à partir du 1er novembre — on prétend que la Toussaint ne fut pas choisie sans intention —, on se bornerait à leur payer une pension annuelle de 800 florins.

« Ainsi fut consommée, dit un historien, sous le règne d'un monarque qui prétendait à la gloire de régénérer ses peuples en les éclairant, une œuvre de parcimonie mesquine, disons mieux, de véritable vandalisme : car les deux établissements qu'il supprimait n'étaient pas à charge de son Trésor, il les avait trouvés dotés de fonds plus que suffisants pour leur entretien. Quelque jugement que l'on porte sur Joseph II, sa conduite dans l'affaire des bollandistes sera une tache éternelle à sa mémoire [1]. »

La nouvelle de cette brutale exécution ne fut pas sans causer quelque émotion en Belgique et partout dans le monde

[1] GACHARD, op. c., p. 44-45.

de l'érudition. Aux États de Flandre fut déposée une motion en vue de proposer la continuation des *Acta Sanctorum* aux frais de la province. La situation politique ne permit pas de donner suite à ce projet.

Le gouvernement cherchait à tirer parti des dépouilles des œuvres supprimées, bibliothèque et magasin des publications. Il n'hésita pas à demander aux bollandistes eux-mêmes de se charger de la vente, au profit du Trésor. Quelque étrange que puisse paraître au premier abord une pareille détermination, les bollandistes acceptèrent. C'était le dernier espoir qui leur restât de ne point laisser se disperser la bibliothèque et les matériaux amassés, et d'aboutir un jour à la reprise de l'œuvre. Le P. De Bye s'adressa d'abord à Martin Gerbert, abbé de Saint-Blaise dans la Forêt-Noire, et lui proposa un prix d'achat, s'offrant à se transporter avec le P. De Bue à l'abbaye et à y demeurer le temps nécessaire pour initier au travail hagiographique quelques jeunes religieux. Sa lettre, datée du 11 novembre 1788, demeura sans réponse [1].

En France, la Congrégation de Saint-Maur se montrait favorable à un arrangement qui eût sauvé ces tristes épaves. Elle prit l'initiative de faire, par la voie diplomatique, les démarches nécessaires auprès du gouvernement impérial. Ces négociations, qui commencèrent au mois de novembre 1788, n'aboutirent pas [2]. L'évêque d'Anvers, Corneille-François de Nélis, en avait eu connaissance et il s'émut de voir une œuvre qui faisait honneur au pays prendre le chemin

[1] Archives générales du Royaume, *Conseil privé*, t. 743, fol. 229-231. [Cf. P. Peeters, op. c., p. 71 ; à noter que, p. 56-58, l'auteur avait signalé les ouvertures faites dès 1777 par des personnages officiels à l'abbé de Saint-Blaise. Mais celui-ci avait alors en tête le projet d'une *Germania Sacra*. Voir G. Pfeilschifter, *Korrespondenz des Fürstabtes Martin II Gerbert*, t. 2 (Karlsruhe, 1934), p. 237-242 ; et, du même, *Die St. Blasianische Germania Sacra* (Kempten, 1921), p. 61-63.]

[2] Gachard, op. c., p. 45.

de l'étranger. Il s'en ouvrit aussitôt à son ami Godefroid Hermans, abbé de Tongerloo, et l'engagea à reprendre la succession des bollandistes [1].

Ceux-ci avaient reçu des offres de diverses abbayes [2]. Ils furent très heureux d'entrer en négociations avec l'abbaye norbertine, qui avait rendu à la Compagnie de Jésus en Belgique des services dont ils gardaient le souvenir reconnaissant. Les conditions furent discutées entre le P. De Bye d'une part et le chanoine Adrien Heylen de l'autre. On tomba bientôt d'accord. Le chapitre de Tongerloo consentit à acquérir les bibliothèques des bollandistes et du Musée Bellarmin avec le fonds de magasin et le matériel de l'imprimerie. L'abbaye paierait la pension des trois hagiographes, De Bye, De Bue et Fonson, et celle des historiographes Ghesquière et Smet. La confirmation de la cession fut octroyée par l'empereur le 14 mai 1789. En même temps, l'abbaye était autorisée à contracter un emprunt de 60 000 florins pour couvrir les frais de reprise. Le personnel survivant des rédacteurs, auquel on adjoignit le compositeur de l'imprimerie, Van der Beken, s'installa dans l'abbaye, et on se mit bientôt à l'œuvre, avec l'aide de plusieurs chanoines réguliers, que les anciens initièrent au travail hagiographique. En 1794 parut le tome 6 d'Octobre, *Tongerloae, typis abbatiae.* Avec C. De Bye et J. De Bue, anciens jésuites, figuraient, comme ayant pris part à la rédaction de ce volume, J.-B. Fonson, ancien Augustin de Caudenberg, Dom Anselme Berthod et les trois chanoines de Prémontré, Siard

[1] Sur tout ceci voir H. Lamy, *La reprise de l'œuvre des Bollandistes par l'abbaye de Tongerloo en 1789,* dans *Mélanges d'histoire offerts à Charles Moeller,* t. 2 (Louvain, 1914), p. 481-501. [Du même, *L'œuvre des Bollandistes à l'abbaye de Tongerloo,* dans *Analecta Praemonstratensia,* t. 2 (1926), pp. 294-306, 379-389, et t. 3 (1927), pp. 61-79, 156-178, 284-313.]

[2] Lettres du P. De Bye du 8 et du 13 janvier 1789. Archives du Royaume, *Conseil privé,* t. 743, fol. 264-266.

Van Dyck, Cyprien Van de Goor et Mathias Stals. Il comprenait les saints des 12, 13 et 14 octobre. Comme le prouve, à la dernière page du texte, la signature DIES, à laquelle fut substitué le mot INDEX, on se proposait d'ajouter ceux du 15 octobre. Les circonstances n'expliquent que trop la hâte que l'on mit à terminer le volume. Il avait été composé au milieu des troubles de la révolution brabançonne, et l'on était à la veille d'un nouveau cataclysme. Au début de l'année 1792, les troupes autrichiennes avaient occupé l'abbaye, et le gouvernement avait ordonné de mettre sous scellés l'imprimerie des bollandistes, qui n'avait été rouverte qu'à la fin de novembre par le général de brigade français Eustache [1]. L'impression fut reprise. Elle était à peine terminée lorsque la Belgique se vit de nouveau envahie par les troupes de la République française. Ce fut, avec la confiscation des biens ecclésiastiques, la persécution pour les religieux et, au milieu de tant de ruines, la suppression définitive de l'œuvre bollandienne. Une partie de la bibliothèque fut cachée par les paysans, on devine dans quelles conditions [2] ; une autre, chargée en hâte sur des chariots, fut transportée en Westphalie. On ne put jamais en faire rentrer que des épaves.

Il paraît que les livres et manuscrits qui se trouvaient dans les environs de Tongerloo furent déposés successivement pendant la nuit au château de Westerloo. Le gouvernement des Pays-Bas fit des propositions pour acquérir ce dépôt.

[1] W. Van Spilbeeck, *Eene onuitgegevene bladzijde uit de geschiedenis van het Bollandisme,* dans *De Vlaamsche School,* 1884, p. 75-78.

[2] « Des livres, des manuscrits précieux deviennent la proie des flammes ou des vers. On raconte que, vers le temps de la conclusion du concordat avec le Saint-Siège, l'un de ces dépôts littéraires ayant été découvert par l'administration des domaines, le fermier qui le recélait, effrayé des suites fâcheuses que cette saisie pouvait avoir pour lui, mit lui-même le feu à l'habitation où ce dépôt était caché, afin qu'on n'eût point de preuves contre lui. » *Bibliotheca Hulthemiana,* t. 6 (Gand, 1837), p. vi.

Comme ils n'entrevoyaient plus aucun espoir de rétablir jamais l'œuvre bollandienne, les survivants de l'abbaye vendirent, en 1827, ce qui leur restait pour 7000 florins. Les livres furent envoyés à la bibliothèque de La Haye ; les manuscrits à la bibliothèque de Bourgogne, à Bruxelles, où ils sont encore [1]. Parmi ces manuscrits se trouvaient, classés par ordre de dates, les matériaux réunis pour la continuation de l'œuvre, du 16 octobre au 31 décembre. Une autre partie de la bibliothèque, celle sans doute qui était revenue de Westphalie, avait été mise en vente publique à Anvers en 1825. Les principaux acquéreurs furent le bibliophile anglais R. Heber (Williams) et les bibliophiles belges Van Hulthem et Lammens [2].

Telle fut la fin du musée bollandien.

En l'an X (1802), le citoyen A.-G. Camus reçut du gouvernement de la République française et de l'Institut une mission scientifique dans les départements de la rive gauche du Rhin, de la Belgique et du Nord. Il s'enquit minutieusement de tout ce qui concernait l'ancienne société des bollandistes, sur laquelle il donne des renseignements fort exacts qu'il tient surtout du « citoyen La Serna ». Les détails suivants qu'il ajoute sont intéressants à recueillir. Ils montrent que, dans le monde de l'érudition, on prenait difficilement son parti de la suppression de l'œuvre.

« Le citoyen Dherbouville, préfet du département des Deux-Nèthes à Anvers, a fait, en l'an IX (1801), des tentatives auprès des anciens bollandistes pour les engager à reprendre leurs travaux ; elles n'ont pas eu de succès. Au mois de frimaire an XI (1803), l'Institut a écrit au ministre de l'Intérieur, pour le prier d'engager le préfet de la Dyle

[1] *Bibliotheca Hulthemiana*, t. 6, p. VII ; cf. *Act. SS.*, Oct. t. 7, p. XX ; GACHARD, op. c., p. 50.

[2] *Bibliotheca Hulthemiana*, ibid.

et celui des Deux-Nèthes à tenter de nouveau d'obtenir des bollandistes, ou qu'ils continuent leur recueil, ou qu'ils cèdent, au moyen des conventions que l'on fera avec eux, leurs manuscrits et les autres matériaux qu'ils avaient préparés [1]. »

Ces démarches demeurèrent sans résultat. Quelques années se passeront, et l'idée sera reprise. Les négociations engagées alors aboutiront d'une façon assez inattendue.

[1] A.-G. Camus, *Voyage dans les départements nouvellement réunis*, t. 2 (Paris, 1803), p. 58-59.

CHAPITRE SEPTIÈME

LA RESTAURATION

En 1836, on vit se constituer en France une Société hagiographique ayant pour but de continuer les *Acta Sanctorum*. Elle s'était assuré l'appui du ministre de l'Instruction publique, qui était alors Guizot, et cherchait à négocier avec le gouvernement belge l'envoi à Paris des matériaux déposés à la Bibliothèque royale. L'abbé Perrin, envoyé à Bruxelles pour faire les démarches nécessaires, commença une campagne de presse, destinée à intéresser le public belge à la nouvelle entreprise [1]. On remarqua bientôt que la Société, dont la plupart des membres étaient entièrement inconnus du monde savant, semblait plus riche d'enthousiasme que d'expérience, et ce n'est pas sans une sorte de stupeur que fut accueillie la déclaration suivante : « Nous espérons, avec tous nos efforts réunis, pouvoir publier chaque année, s'il ne s'élève pas d'obstacles, environ trois volumes in-folio de deux cents feuilles chacun, vingt-quatre mille lettres à la feuille ; ce qui donnera, selon nous, dix années de travail. »

On s'émut, dans les cercles lettrés, de cette initiative inconsidérée et de cette mainmise de l'étranger sur une œuvre

[1] Dans le journal *L'Union*, de Bruxelles, des 25 novembre, 6, 8, 9 et 11 décembre 1836. — [En marge de ce chapitre VII, on lira avec profit P. Peeters, *Après un siècle. L'œuvre des Bollandistes de 1837 à 1937*, dans *Anal. Boll.*, t. 55 (1937), p. V-XLIV ; et, du même, *L'œuvre des Bollandistes*, p. 84-112. Voir aussi F. Baix, *Le centenaire de la restauration du bollandisme*, dans *Revue d'histoire ecclésiastique*, t. 34 (1938), p. 270-296.]

si éminemment belge. Le journal *L' Union*, celui-là même qui avait ouvert ses colonnes à la réclame de l'abbé Perrin, publia une note annonçant que l'on s'occupait activement en Belgique du rétablissement de l'ancienne association des bollandistes, et concluait en ces termes : « La continuation des *Acta Sanctorum*, un des monuments les plus importants de notre gloire littéraire, doit appartenir de plein droit à la Belgique [1]. » Quelques jours après, le même journal insérait un communiqué ainsi conçu : « Pour faire cesser tout doute sur la Société belge qui s'occupe de la publication des *Acta Sanctorum*, on nous informe que c'est la Compagnie de Jésus en Belgique qui continuera l'œuvre qu'elle a commencée. » Cette déclaration porta le coup de mort à la Société hagiographique dont, à partir de ce moment, il n'est plus question.

Il faut dire que les jésuites n'avaient montré aucun empressement à la remplacer. La province belge de la Compagnie commençait à se reformer, dans un pays qui venait à peine de conquérir sa liberté. Elle fondait ses premiers collèges et, l'enseignement réclamant toutes ses forces vives, elle ne songeait nullement à se charger, à pareil moment, d'un fardeau qu'elle n'était guère en état de porter. A toutes les sollicitations, le P. Van Lil, provincial, opposait la pénurie des sujets et le danger de désorganiser son personnel enseignant.

Ce fut le zèle de Mgr De Ram, recteur de l'Université de Louvain et membre de la Commission royale d'histoire, qui vint à bout de toutes les résistances. A la première annonce du projet français, il écrivit à M. de Theux, ministre de l'Intérieur, pour obtenir que le gouvernement s'intéressât à la reprise, par les jésuites belges, de l'œuvre bollandienne, et s'offrit à entrer avec eux en pourparlers. Voici comment il s'exprimait : « Convaincu que les bollandistes ne

[1] *L' Union* du 11 décembre.

sauraient être remplacés que par eux-mêmes, c'est-à-dire par les membres d'une société religieuse qui les a nourris dans son sein et qui a si bien mérité des lettres, je n'ai pu m'empêcher d'exprimer depuis longtemps le désir de voir revivre l'ancienne association des bollandistes, et de croire même qu'il serait facile de réaliser leur rétablissement. A l'étranger comme parmi nous, les savants s'empresseraient de rendre hommage à la sollicitude d'un gouvernement qui se ferait un devoir d'encourager des hommes se consacrant à l'achèvement du plus vaste monument de notre histoire littéraire [1]. »

Le savant recteur réitéra ses démarches, en même temps qu'il agissait énergiquement sur le provincial des jésuites pour lui faire accepter des propositions qui mettraient fin à la concurrence étrangère. Sa persévérance triompha de tous les obstacles. En janvier 1837, la nouvelle Société des bollandistes, composée des PP. J.-B. Boone, Joseph Van der Moere et Prosper Coppens, auxquels fut adjoint un peu plus tard le P. Joseph Van Hecke, fut constituée à Bruxelles, au collège Saint-Michel [2]. Elle obtenait du gouvernement, avec les autorisations nécessaires pour recevoir en prêt les manuscrits et les livres de la Bibliothèque royale, une subvention annuelle qui fut fixée à 6000 francs. On s'occupa aussitôt de la rédaction d'un prospectus, qui fut publié en 1838 sous le titre *De prosecutione operis Bollandiani.* Il est l'œuvre du P. Van Hecke.

Si les bollandistes gardent à l'homme distingué dont l'intervention énergique fit revivre leur œuvre un souvenir respectueux et reconnaissant [3], ils ne peuvent oublier que l'organisation éphémère que fut la Société hagiographique de

[1] Lettre du 17 octobre 1836, publiée dans la *Revue catholique* de Louvain, t. 18 (1860), p. 153-155.

[2] Lettre du P. Van Lil, 29 janvier 1837, au ministre de l'Intérieur.

[3] Le P. Victor De Buck a publié une intéressante biographie de Mgr De Ram dans les *Études religieuses,* 1865, juin, juillet et août.

France pesa d'un poids très lourd sur leurs destinées. Il était inévitable que la question de la reprise des *Acta Sanctorum* se posât un jour. Mais il fallait prendre le temps de se recueillir et de mûrir le projet. L'entrée en scène de la Société hagiographique brusqua les choses. On voulut ôter aux représentants de l'érudition étrangère, quels qu'ils fussent, tout prétexte à intervention et empêcher la mainmise sur un bien national. La difficulté était de trouver des hommes mieux préparés pour réaliser l'idée.

La tâche était de nature à faire reculer les plus intrépides. Tout ce qui restait du travail des devanciers, c'était un plan auquel il fallait bien s'assujettir, mais les mille secrets de l'exécution étaient perdus. De la tradition formée par un siècle et demi de travaux ininterrompus, il ne restait plus, après une suspension de quarante ans, aucun témoin vivant. L'étude de l'immense collection et des notes échappées au naufrage permettait seule de la reconstituer.

Les outils forgés par les prédécesseurs étaient dispersés ou détruits. Il s'agissait de les retrouver ou d'en créer de nouveaux, et c'est ainsi, par exemple, que les listes des saints, si laborieusement dressées après dépouillement de tous les martyrologes, durent être refaites ; de même le catalogue des manuscrits nécessaires aux recherches futures.

La bibliothèque n'existait plus. Ni les grandes collections qui sont la base des recherches érudites, ni les répertoires indispensables n'étaient à la disposition des hagiographes, et les innombrables monographies, réunies jadis dans le musée bollandien, avaient disparu sans laisser de trace. Les locaux eux-mêmes faisaient défaut, et les premiers livres que les nouveaux hagiographes parvinrent à se procurer durent être rangés le long des sombres couloirs du vieux collège Saint-Michel.

C'est au milieu des soucis de la vie matérielle et de la constitution d'un nouvel outillage scientifique que parut, en

1845, le tome 7 d'Octobre et, en 1853, le tome 8. Les autres volumes du même mois se succédèrent à des intervalles plus rapprochés : le tome 9 en 1858, le tome 10 en 1861, le tome 11 en 1864, le tome 12 en 1867. Le tome 13 ne fut imprimé qu'en 1883.

Que certaines parties de ces énormes in-folio, des premiers surtout, se ressentent des conditions défavorables au milieu desquelles ils furent préparés, qu'ils se rattachent plus étroitement qu'on ne voudrait à la tradition des mauvais jours du dix-huitième siècle, personne ne s'en étonnera. Cette production que nous sommes tentés de juger prématurée, fut imposée par les circonstances. On avait refusé les services d'une Société qui promettait le prompt achèvement de l'œuvre. Le public admettrait-il que la nouvelle Société mît plus de temps à préparer un volume que l'autre n'en eût mis à terminer la série complète ? Ne fallait-il pas affirmer sa vitalité en amorçant la continuation si longtemps attendue ? Il était indispensable de calmer certaines impatiences. Et puis, les nouveaux bollandistes recevaient une subvention de l'État, sans laquelle ils n'auraient pas réussi à se reconstituer. Mais l'allocation du gouvernement était liée à des conditions, dont la première était de publier, à échéance fixe, les volumes de la continuation. Il aurait servi de peu d'étaler aux yeux de la Chambre et du public les difficultés de l'entreprise et de chercher à excuser des retards que les surprises de la recherche et les circonstances rendaient aisément explicables. Il fallait avancer, dans la situation désavantageuse d'une armée obligée de combattre avant d'être complètement organisée. Le manque de concision que l'on a pu reprocher aux premiers volumes est la conséquence inévitable du travail forcé.

Peu avant la suppression de l'abbaye de Tongerloo, les bollandistes avaient commencé l'impression d'un nouveau volume, dont quelques feuilles étaient tirées. On réimprima cette partie, sauf le commentaire sur sainte Thérèse, dont les premières pages seules avaient été imprimées [1]. La suite du manuscrit ne fut pas retrouvée. Il fallut se résigner à refaire le travail. Ce fut le P. Van der Moere qui l'entreprit, sur un plan malheureusement beaucoup trop vaste. Le reste du volume est en grande partie l'œuvre du P. Van Hecke. Sur le titre du tome 8 figurent, avec le P. Van Hecke, les PP. Benjamin Bossue, Victor De Buck et Antoine Tinnebroek. Ce dernier mourut en 1855, à l'âge de trente-neuf ans, et fut remplacé par le P. Édouard Carpentier. A ces noms s'ajoutèrent, à partir du tome 10, celui du P. Remi De Buck et, au tome 12, celui du P. Henri Matagne.

Le bollandisme renaissant fondait sur le P. Carpentier et le P. Matagne les plus grandes espérances et comptait sur eux pour faire profiter les *Acta Sanctorum* des sources orientales désormais accessibles. Tous deux, hélas ! moururent avant d'avoir pu donner leur mesure. Le P. Carpentier, après avoir publié, sur les saints d'Éthiopie et sur les martyrs arabes, des travaux qui comptent parmi les meilleurs de toute la collection, mourut en 1868, à l'âge de quarante-six ans ; le P. Matagne, en 1872, à l'âge de trente-huit ans, laissant parmi ses confrères le souvenir durable de ses hautes capacités intellectuelles et d'une solide connaissance de plusieurs langues orientales [2]. La perte de ces excellents ouvriers fut pour l'œuvre un rude coup. Cette épreuve, jointe à d'autres qui s'abattirent sur elle presque en même

[1] Il existe un très petit nombre d'exemplaires de ces feuilles. Celui de la Bibliothèque royale de Bruxelles et celui de la Bibliothèque d'Anvers s'arrêtent à la page 112, avant le commentaire sur sainte Thérèse. L'exemplaire de la bibliothèque des Bollandistes comprend 128 pages.

[2] [Sur H. Matagne, voir F. Halkin, *Lettres du P. Henri Matagne, bollandiste namurois*, dans *Études d'histoire et d'archéologie namuroises dédiées à Ferdinand Courtoy*, t. 2 (1952), p. 985-989.]

temps, rendit fort pénible l'achèvement du mois d'Octobre. Lorsqu'on put songer à imprimer le tome 13, tous les collaborateurs de cette génération avaient disparu.

De tous ceux-ci, le plus remarquable fut sans contredit le P. Victor De Buck. Né à Audenarde en 1817, entré au noviciat de Nivelles en 1835, il se fit bientôt distinguer par ses talents hors ligne et une puissance de travail extraordinaire. A peine avait-il terminé ses études de philosophie, en 1840, qu'on l'adjoignit comme auxiliaire aux nouveaux bollandistes. Il ne se confina point dans l'étude des textes hagiographiques et comprit qu'un critique doit posséder une connaissance étendue de l'histoire générale et des branches subsidiaires. Il n'en négligea aucune, mais ce furent l'archéologie et le droit canon qu'il cultiva avec prédilection. Sa science du droit ecclésiastique lui permit d'intervenir utilement dans les controverses qui passionnaient alors l'opinion et de rendre à la cause des religieux de signalés services.

Une faculté d'assimilation indéfinie lui permettait d'aborder les sujets les plus variés, et les nombreux écrits sortis de sa plume ne tardèrent pas à lui assurer la plus brillante réputation. Il ne se limitait point aux sujets de pure érudition et, dans les luttes politiques et religieuses, ne se résignait pas au rôle de simple spectateur. En tout ce qui touchait aux affaires ecclésiastiques, il était sans cesse consulté par les hommes les plus éminents. On l'estimait pour sa vaste intelligence et sa largeur d'esprit ; on l'aimait pour sa simplicité, qui touchait à la candeur. Ami de Montalembert et de Mgr Dupanloup, il se rendit suspect à ceux qui reconnaissaient comme chef Louis Veuillot. De généreuses illusions sur les résultats immédiats du mouvement d'Oxford [1], un optimisme exagéré sur les dispositions de la Russie

[1] Cf. *Life of Pusey*, t. 4, p. 173-186 ; P. THUREAU-DANGIN, *La renaissance catholique en Angleterre*, t. 3, p. 133-140.

à l'égard de l'Église romaine l'avaient engagé fort avant dans des négociations pour l'union des Églises.

Il mettait d'ailleurs fort justement comme condition première à toute tentative d'union une charitable condescendance, attentive à éviter tout froissement inutile, et avait horreur du zèle qui a toujours l'injure à la bouche et approfondit le fossé qu'il prétend combler. En accueillant dans les *Acta* le commentaire du P. Jean Martinov, S.J., sur le bienheureux Aréthas de Kiev (XIIIe siècle) et son étude sur le *Patericon* de Moscou, il faisait précéder ces travaux d'une préface remarquable où il s'expliquait sur les qualificatifs à donner aux écrivains séparés de l'Église romaine. Il proscrivait le nom odieux de schismatiques et voulait qu'on les appelât simplement non-catholiques, non-unis, orthodoxes. Et pour que personne ne prît ombrage de ce nom d'orthodoxes, il ajoutait : « Des hommes graves, qui ont étudié sérieusement les symboles et les livres liturgiques des Russes, sont persuadés que leur doctrine ecclésiastique (on ne s'occupe pas ici des opinions de quelques théologiens) diffère de la doctrine catholique par les mots plutôt que par les choses, et qu'on peut avec raison la qualifier d'orthodoxe. L'indulgence en ces matières ne tire pas à conséquence puisque nous savons que la doctrine seule n'est pas la marque de la véritable Église, que les conciles œcuméniques appellent *une, sainte, catholique et apostolique,* et que, d'autre part, le nom de catholique, auquel les orthodoxes ne songent guère et qui s'attache aux partisans de l'Église romaine comme l'ombre suit le corps, en est par soi-même un signe distinctif [1]. »

De l'activité qu'il déploya pour promouvoir la grande cause de l'union des Églises, on ne lui sut guère de gré, bien qu'il fût impossible de méconnaître la droiture de ses intentions ou la pureté de sa doctrine, que personne ne réussit jamais à prendre en défaut. Le choix qu'on fit de lui

[1] *Act. SS.,* Oct. t. 10, p. 863.

comme théologien au concile du Vatican ne peut être considéré comme une invitation à défendre les idées qui lui étaient chères.

Les travaux de cet ordre et les nombreuses relations qu'ils entraînaient, n'absorbaient qu'une petite part de l'activité du P. Victor De Buck, dont la contribution aux *Acta Sanctorum* d'Octobre fut considérable. Le tome 7, publié avant qu'il ne fût prêtre, a déjà bénéficié de sa collaboration ; les commentaires anonymes de ce volume sont de lui. Si l'on veut se rappeler dans quelles conditions défavorables avaient été publiés les premiers tomes d'Octobre, surtout le cinquième et le sixième, on ne s'étonnera pas que la préparation des volumes suivants ait amené la découverte de certaines lacunes, et qu'on se soit préoccupé de les combler. De là les suppléments intitulés *Auctaria* aux tomes 1er, 5 et 6, qui sont en bonne partie l'œuvre du P. V. De Buck. Dans les autres volumes, à partir du huitième, les nombreux commentaires signés V. D. B. méritent d'attirer l'attention. Ce sont, avec ceux du P. Carpentier, les meilleurs de cette série. Dans presque tous, le P. V. De Buck a versé des trésors d'érudition et fait preuve d'une grande perspicacité. Un reproche qu'on peut lui faire, c'est de n'avoir pas réagi suffisamment contre les tendances de la génération précédente et l'importance exagérée donnée à la dissertation. Son savoir exubérant cherchait naturellement à se répandre, et il ne résistait guère aux suggestions d'un sujet dont les détails lui fournissaient ample matière à recherches curieuses. C'est ainsi qu'il a accumulé, en des endroits où le savant le plus averti n'irait point les chercher, nombre de notes et d'exposés qui épuisent la matière, mais qui ont l'inconvénient de grossir les volumes et aussi d'y introduire un élément que les progrès de l'érudition font vieillir rapidement.

Une découverte qui fait honneur à sa clairvoyance, c'est celle des relations étroites du calendrier syriaque de Wright avec le martyrologe hiéronymien et de la lumière que le vieux document oriental jette sur les sources de la compilation latine. Le calendrier venait à peine de paraître [1] que le P. V. De Buck écrivait :

« Nous avions reconnu depuis longtemps que l'hiéronymien est composé d'une foule de calendriers romains, africains, asiatiques, illyriens ; que c'est la raison des répétitions des mêmes saints à différents jours, et parfois le même jour, mais sous des noms défigurés ; que les fastes de Constantinople n'y sont presque pas représentés. Mais le calendrier de Wright est une clef, et on pourra s'en servir avec d'autres calendriers syriaques, arméniens, égyptiens, et aussi celui de Carthage, pour essayer d'arracher à ce martyrologe tous ses secrets [2]. »

Dans un article sur la *Roma sotterranea* de J.-B. De Rossi, il y revient et pose en principe qu'il faut, dans une très large mesure, identifier les homonymes, et qu'avant d'entreprendre la critique de la compilation, il importe d'avoir sous les yeux un grand nombre de calendriers anciens et modernes. Il avait pris ses dispositions en conséquence : « Déjà, disait-il, à ma prière, le R. P. Martinov a placé dans son *Annus ecclesiasticus graeco-slavicus*, en tête de chaque jour, les mémoires des saints tirées de plus de cent calendriers ou ménologes grecs et slaves, représentant le patriarcat de Constantinople. Un de mes collègues compte faire un travail semblable pour les patriarcats d'Antioche et d'Alexandrie et pour les églises arménienne, syriaque, etc. Un autre de mes confrères a bien voulu se charger de dépouiller les calendriers du patriarcat latin que nous avons au nombre de plus de mille, sans compter les calendriers ou martyrologes des Églises bretonne, irlandaise et écossaise, qui constituent une catégorie à part. Lorsque tout cela sera dépouil-

[1] Dans *Journal of Sacred Literature,* N. S., t. 8 (1866), p. 45.
[2] *Act. SS.,* Oct. t. 12 (1867), p. 185, § 7.

lé, il deviendra possible de débrouiller presque entièrement la compilation hiéronymienne. Chaque jour se présente d'abord comme un amas de décombres ; mais dès qu'on est parvenu à extraire de cet amas une ou deux mémoires certaines, le reste s'explique, d'ordinaire, avec facilité [1]. »

Il y a beaucoup d'optimisme dans ce jugement. Mais on ne peut nier que le spécimen de la méthode appliquée par le P. De Buck aux notices du 9 août [2] fut encourageant, et que le projet de donner en tête du mois de novembre, pour la fête de tous les saints, une édition critique du martyrologe hiéronymien, n'apparaissait pas comme trop chimérique. Les événements, et surtout la mort des meilleurs collaborateurs du P. De Buck, firent crouler tant d'espérances. Si l'on excepte les recherches du P. Martinov sur l'hagiographie gréco-slave, parues dans le tome 11 d'Octobre, les travaux préparatoires annoncés furent à peine entamés, et le P. De Buck lui-même, atteint par la maladie, ne vit pas la fin de la série d'Octobre qu'il comptait bien dépasser. Il mourut le 23 mai 1876.

Un épisode de la carrière hagiographique du P. Victor De Buck, se rattachant à un de ses meilleurs travaux, peut d'autant moins être passé sous silence qu'il a parfois été raconté avec peu d'exactitude. En 1842, on trouva dans la catacombe de Priscille une tombe avec une inscription fort nettement tracée et dont voici le texte intégral :

AVRELIAE . THEVDOSIAE .
BENIGNISSIMAE . ET .
INCOMPARABILI . FEMINAE .
AVRELIVS . OPTATVS .
CONIVGI . INNOCENTISSIMAE .
DEP . PRID . KAL . DEC .
NAT . AMBIANA .
B . M . F .

[1] *Études religieuses,* août 1868, p. 285-286.
[2] *Ibid.,* p. 287-297.

La présence de la fiole, dite vase de sang, regardée alors comme signe caractéristique du martyre, donnait à cette découverte une signification particulière. Dans la persuasion que Theudosie était une martyre originaire de son diocèse, Mgr de Salinis, évêque d'Amiens, obtint pour sa cathédrale ses restes précieux et, le 12 octobre 1853, en présence d'une trentaine d'évêques et de cardinaux et au milieu d'un immense concours de peuple, il en fit la translation solennelle [1]. D'illustres orateurs rehaussèrent la cérémonie par l'éclat de leur parole et Mgr Pie, dans son discours, commenta, en hagiographe, l'épitaphe de la femme d'Aurelius Optatus [2]. Le P. De Buck s'était proposé d'écrire sur cet événement religieux quelques pages destinées à un journal. En étudiant le sujet, il s'aperçut que l'on avait procédé, en cette occasion, sur des données pour le moins douteuses.

Il sentit que le moment n'était pas venu d'écrire sur la nouvelle sainte. La révélation d'une méprise mortifiante eût fait scandale. Il prit donc le parti de communiquer aux supérieurs les résultats de ses recherches. Ceux-ci lui demandèrent d'écrire une dissertation, destinée à être mise entre les mains de quelques personnes compétentes et qualifiées, dans le but d'amener la solution d'un grave problème sur lequel le P. Mariana avait écrit en 1597 une dissertation magistrale dont la trace était perdue alors [3], que Mabillon avait traité à son tour sous le pseudonyme d'Eusebius Romanus [4] et qui, depuis les travaux de J.-B. De Rossi, préoccupait vivement les milieux ecclésiastiques éclairés. Que fallait-il penser des « corps saints » extraits des catacombes

[1] Voir *Le Livre de sainte Theudosie* (Amiens, 1854) et un article de L. Veuillot dans les *Mélanges*, 2e série, t. 2, p. 84-94.

[2] *Œuvres de l'évêque de Poitiers*, t. 2, p. 1-10.

[3] Analysée dans G. Cirot, *Mariana historien* (Bordeaux, 1904), p. 53-58.

[4] *De cultu sanctorum ignotorum* (Paris, 1698).

durant les trois derniers siècles et envoyés à diverses églises? Sont-ce des reliques de martyrs et non pas plutôt les restes de simples fidèles? Y a-t-il au moins des indices infaillibles permettant de reconnaître les reliques des saints? Le « vase de sang » que l'on trouve déposé à l'intérieur ou fixé aux parois de certains tombeaux n'est-il pas un signe non équivoque du martyre? C'est ce dernier point que le P. De Buck entreprit d'éclaircir dans son livre *De phialis rubricatis*, imprimé en 1855 et non mis dans le commerce, ce qui fit dire à des personnes peu bienveillantes et non moins mal informées que l'édition de ce livre hardi avait été supprimée et envoyée au pilon par ordre des supérieurs.

Contre l'hypothèse universellement reçue alors, le P. De Buck fit valoir des arguments décisifs. Quelle preuve avait-on pour affirmer que le sédiment rouge déposé au fond des fioles fût du sang plutôt qu'un oxyde de fer résultant d'une combinaison chimique? Aucune. Quelle probabilité avait une interprétation dont on était amené à tirer d'aussi graves conséquences? Pas la moindre, car il était établi que les translations du huitième et du neuvième siècle n'avaient laissé dans les catacombes qu'un très petit nombre de corps de martyrs. La statistique des inscriptions établissait qu'un cinquième des tombeaux signalés par le prétendu vase de sang étaient des sépultures d'enfants au-dessous de sept ans, proportion inadmissible s'il s'agit de tombeaux de martyrs. De plus, la grande majorité des tombes en question est postérieure à la paix constantinienne ; elles ne renfermaient donc pas des corps de martyrs. Voilà quelques-uns des principaux arguments de cette démonstration, que l'on jugera péremptoire, contre la thèse du vase de sang, caractéristique du martyre [1].

[1] [Des extraits de lettres du P. De Buck sur la question ont été publiés par le P. A. FERRUA, S. J., dans son édition du mémoire de J.-B. De Rossi : *Sulla questione del Vaso di sangue* (Cité du Va-

Un décret de la Congrégation des Rites du 10 décembre 1863 sembla, à première vue, donner tort au P. De Buck. Au fond, il n'en était rien. Comme l'a fait remarquer le P. De Smedt [1], ce décret se bornait à renouveler celui du 10 avril 1668, dont la rédaction ambiguë semble vouloir éviter de trancher la question :

Cum in Sacra Congregatione Indulgentiis Sacrisque reliquiis praeposita de notis disceptaretur, ex quibus verae sanctorum martyrum reliquiae a falsis et dubiis dignosci possint, eadem Sacra Congregatio, re diligenter examinata, censuit palmam et vas illorum sanguine tinctum pro signis certissimis habenda esse [2].

En d'autres termes, le vase teint du sang des martyrs prouvait le fait du martyre. Sous cette forme, l'affirmation pouvait difficilement être contestée et personne ne songeait à la contredire.

Le P. De Buck avait fait son devoir en donnant la consultation qu'on lui avait demandée ; il ne songea pas un instant à discuter le décret que plusieurs se plaisaient à interpréter contre lui dans un sens étroit et rigoriste, ni à rendre le public juge d'une question que l'autorité semblait se réserver. L'incident était oublié, lorsqu'on vit paraître, en 1867, un livre intitulé : *De phiala cruenta indicio facti pro Christo martyrii*, qui avait pour auteur un prêtre romain, Archange Scognamiglio, en qui parut revivre Sébastien de Saint-Paul, le persécuteur de Papebroch. Aux mauvais procédés du pamphlétaire, Scognamiglio ajoutait cette grave incorrection de s'en prendre à un ouvrage inaccessible au public et portant tous les caractères d'un mémoire confi-

tican, 1944). Cf. M. Coens, *Une correspondance de Papebroch avec les moniales de la Chaise-du-Theil à propos de S. Juvence, saint catacombaire,* dans *Anal. Boll.*, t. 64 (1946), p. 181-199, où d'autres travaux récents sont cités.]

[1] Notice sur le P. V. De Buck, en tête du tome 2 des *Acta Sanctorum* de Novembre.

[2] *Analecta iuris pontificii,* t. 7, p. 954.

dentiel. Il avait beau jeu de dénaturer la pensée de son adversaire, de présenter ses arguments sous un faux jour, de jeter le soupçon sur son orthodoxie. Le contrôle était pratiquement impossible.

Comme son illustre prédécesseur, le P. De Buck admettait de bonne grâce la contradiction, mais ne voulait à aucun prix rester sous le coup d'une accusation d'hérésie. Il protesta dans une lettre écrite au *Theologisches Litteraturblatt* de Bonn, à propos d'un compte rendu de F.-X. Kraus sur le livre de Scognamiglio [1]. Ce savant, tout en professant pour le P. De Buck une sincère estime, avait jugé sévèrement son livre, qu'il ne connaissait que par l'exposé infidèle de l'indélicat personnage.

« On peut très bien me réfuter, écrivait le P. De Buck, sans nuire à ma réputation. C'est cette réputation seule que je tiens à protéger, parce que c'est une obligation naturelle que de la défendre comme la vie ; il me paraît qu'avant tout, je dois tâcher de me faire juger sur ce que j'ai écrit et non pas sur le dire d'un homme qui, non seulement cache les chapitres les plus importants de mon livre, qui constamment me tronque, tronque les documents qu'il apporte et par là falsifie souvent mes paroles et ces documents, mais qui encore, ainsi que M. Kraus le prouve à l'évidence, se permet des contre-vérités vraiment inconcevables. »

Le P. De Buck ne fit pas d'autre réplique, manifestant par sa réserve l'horreur des polémiques qui est de tradition dans la maison. Réserve d'autant plus méritoire qu'il n'ignorait pas qu'en haut lieu son sentiment avait triomphé [2] et

[1] Année 1868, n° 9, p. 487. Reproduite dans son texte original français par F.-X. Kraus, dans son livre *Die Blutampullen* (Francfort, 1868), p. 67-68.

[2] Dans une lettre écrite au P. De Buck le 10 mars 1860 et qui est conservée à la bibliothèque des Bollandistes, De Rossi le constate expressément et exprime toute la joie qu'il éprouve d'un pareil résultat.

que peu d'années après la publication du *De phialis rubricatis,* le vicariat de Rome avait renoncé aux anciennes pratiques mises en cause par son livre. Une circulaire du 17 janvier 1881, qui notifie les mesures sévères édictées sur la matière par le pape Léon XIII, constate que, depuis vingt ans environ, on avait cessé d'extraire des catacombes des corps saints pour être offerts à la vénération des fidèles.

Jusque sous le pontificat de Pie X, le courageux mémoire du P. De Buck continua de porter ses fruits. A la fin du dix-huitième siècle, on avait transféré à l'église de Saint-Marc, à Rome, le corps d'une femme du nom de Fortissima, à qui le vase de sang avait assuré le titre de martyre, et ces restes n'avaient cessé d'être l'objet des hommages des fidèles, bien que, selon la remarque du P. De Buck [1], la date consulaire 389 de l'épitaphe eût dû suffire à les arrêter. La commission archéologique attira sur le fait l'attention du pontife, qui exigea que l'on rendît les restes de Fortissima aux catacombes, d'où ils n'auraient jamais dû sortir.

Malgré les tâtonnements et les erreurs du début, la continuation des *Acta Sanctorum* avait, sous l'impulsion du P. De Buck, donné à l'œuvre de Bollandus un nouveau lustre. Le public instruit y prenait intérêt et, en 1863, un éditeur parisien osa lancer l'entreprise, que l'on peut qualifier d'audacieuse et qu'il mena à bon terme, d'une réimpression de la collection. Plusieurs évêques encouragèrent le projet et, dans un diocèse dont le clergé préparait aux bollandistes un autre illustre appui, on vit paraître une lettre épiscopale adressée aux curés pour recommander les *Acta Sanctorum* qui allaient leur devenir moins inaccessibles [2]. La circulaire de Mgr David, évêque de Saint-Brieuc, document d'une

[1] *De phialis rubricatis,* p. 117.

[2] *Lettre circulaire de Mgr l'évêque de Saint-Brieuc et Tréguier sur la réimpression des Acta Sanctorum à MM. les Recteurs du diocèse.* Saint-Brieuc, 1864, 24 pages in-4°.

grande élévation de pensée, rendait aux collaborateurs des *Acta Sanctorum* un hommage discret et compétent. On y lisait ce passage que nous aimons à reproduire, parce qu'on y trouve la réponse à des préoccupations qui ne sont pas entièrement éteintes, mais qui, à ce moment, se manifestaient parfois sous une forme beaucoup moins discrète. Les allusions sont faciles à saisir.

« Je dois pourtant, avant de terminer, écrivait le digne prélat, dire un mot d'un reproche qui a été adressé aux bollandistes. Une école toute moderne, trouvant, peut-être avec raison, un peu de sécheresse et une sévérité trop grande chez les hagiographes de second ordre nés de la pensée du dix-septième siècle, a jeté la suspicion sur les tendances de l'œuvre bollandienne ; on en a nommé les auteurs et les partisans des *hypercritiques.* Leur idéal, à ces trop indulgents historiens, c'est de reproduire avec leur naïveté souvent charmante, leur nudité même, quelquefois dangereuse, toujours sans examen sérieux et sans contrôle, les légendes du moyen âge. Ces légendes sont-elles toutes dignes de foi ? Lorsque la critique savante, désintéressée, profondément orthodoxe de nos bollandistes, de nos Bénédictins, de nos Oratoriens, etc., les a examinées, et repoussées, n'est-ce pas un devoir de ne procéder qu'avec une circonspection souveraine pour les remettre en lumière ? Ne faudrait-il pas au moins bien connaître les travaux de ces illustres hagiographes et pouvoir leur opposer des réfutations victorieuses ? Ne demandez pas cela à l'école légendaire. Elle n'aime pas le raisonnement ; elle a eu même quelquefois des paroles amères pour la raison humaine. A nos yeux, c'est là un excès regrettable. La vérité est et sera toujours notre culte ; elle est Dieu. Une légende peut être poétique, édifiante même ; mais si la critique consciencieuse la condamne, abandonnons-la sans regret à l'oubli ; ne la livrons jamais, du moins sans réserve, à la confiance des fidèles... Ne donnons pas à la science hostile ou prévenue l'occasion d'un seul triomphe contre la cause divine de l'Église. Plus que jamais aujourd'hui le zèle intempestif, le dogmatisme emporté, la précipitation effrayante dans l'affirmation, la science hâtive et improvisée de quelques hommes dont l'incompétence est aussi notoire que les bonnes intentions, peuvent arrêter la marche de la vérité religieuse dans le monde [1]. »

De pareilles adhésions, venant se joindre à d'autres marques de prospérité, semblaient assurer définitivement l'avenir du bollandisme restauré. Grâce à d'insignes bienfaiteurs, parmi lesquels il faut placer le P. De Buck lui-même, qui, à l'exemple de Papebroch, y consacra une partie de son patrimoine, grâce à la libéralité du gouvernement français, qui lui envoyait la collection des *Documents sur l'histoire de France* et d'autres grandes publications, libéralité imitée par le gouvernement anglais, qui donnait la grande série des *Records*, la bibliothèque avait acquis un beau fonds d'ouvrages, et les principaux instruments de travail s'y trouvaient réunis.

La correspondance scientifique avait repris et il n'y avait pas de diocèse où l'on ne fût disposé à envoyer aux bollandistes les renseignements qu'ils pouvaient désirer sur les cultes locaux. L'œuvre disposait aussi de ressources intellectuelles plus importantes que jamais, et six noms figuraient sur le titre du tome 12 d'Octobre, ce qui était sans précédent.

Le temps de l'épreuve était proche. Les bollandistes furent d'abord atteints dans leurs intérêts matériels et exposés, à cette occasion, aux plus graves ennuis : il se trouva dans le Parlement un sectaire qui se donna le rôle de leur disputer la modeste subvention qui leur était allouée. Pendant neuf ans, il s'acharna à cette besogne, renouvelant ses attaques à chaque discussion du budget, auquel il refusait son vote

[1] *Lettre circulaire,* p. 21-22.

à cause du maintien de l'allocation. Campagne d'autant plus surprenante, faisait remarquer un publiciste, que ce même député, dans une *Histoire populaire de la Belgique*, avait parlé avec grand éloge du recueil des *Acta sanctorum* [1].

Nous laisserons à un observateur non suspect de partialité le soin d'apprécier cette campagne.

« En 1860, disait M. Aubé, quelques députés proposèrent de rayer l'allocation de 6 000 francs assignée au collège bollandien, allocation stérile à leur gré, qui servait à défendre et à propager des idées et des thèses d'un autre âge et à célébrer des saints qui n'étaient pas les leurs. Le débat qui s'engagea à cette occasion ne paraît pas avoir eu l'élévation et la largeur que des lecteurs désintéressés eussent souhaitées. Le fond et la forme des discours alors prononcés furent des deux côtés d'une lamentable médiocrité. A gauche, des arguments de boutiquiers réglant leurs dépenses et ne voulant rien donner au luxe des choses de l'esprit, une appréciation inintelligente et plate des Actes des saints, des plaisanteries d'un goût douteux, un voltairianisme de banlieue. A droite, manque absolu de sang-froid, personnalités violentes, apologie maladroite et lourde de légendes frivoles revendiquées comme choses inviolables et faisant partie des croyances mêmes de la majorité du pays.

« Le crédit fut maintenu. Mise de nouveau en question quatre ans plus tard, attaquée par les mêmes passions de parti, la publication des *Acta Sanctorum* fut cette fois défendue avec plus de hauteur et d'autorité, et l'allocation demeura inscrite au budget. La Belgique s'est honorée en gardant cette œuvre plus que nationale. On a quelque peine à croire, du reste, que la continuation de ce grand monument eût cessé faute du maigre subside autour duquel se livraient de si vifs combats [2]. »

[1] Voir H. de Nimal dans *Revue générale*, t. 41 (1885), p. 212.
[2] *Revue des Deux Mondes*, 1er mars 1885, p. 197.

M. Aubé ignorait certains détails et surtout la fin de l'histoire. Dès les premières attaques, les voix les plus autorisées s'étaient élevées pour prendre la défense des *Acta Sanctorum*. Les conservateurs du British Museum, F. Madden, E. A. Bond, S. Winter Jones, le célèbre éditeur des *Monumenta Germaniae*, G.-H. Pertz, dans des lettres rendues publiques, Mgr De Ram, dans un rapport détaillé [1], avaient fait valoir les motifs d'ordre scientifique qui auraient dû éclairer des esprits non prévenus et mettre fin à des attaques mesquines. En 1869, M. Hymans et ses amis revinrent une dernière fois à la charge et, malgré d'excellents discours de MM. Thonissen et Dumortier, appuyés par MM. Pirmez et Ch. Rogier, leur persévérance, digne d'une meilleure cause, fut couronnée de succès ; la majorité vota la radiation du crédit. L'œuvre, qui ne parvenait à faire face à ses dépenses que grâce à un régime de sévère économie, fut sérieusement atteinte par cette réduction de son revenu et moins que jamais il put être question de certaines réformes qui paraissaient s'imposer, mais qui eussent entraîné des frais considérables, notamment le retour à la tradition des voyages littéraires, plus nécessaires encore que jadis et que l'on avait été contraint de restreindre à l'excès.

Hélas, de plus grands malheurs menaçaient l'existence même de l'œuvre. La mort frappa coup sur coup dans les rangs des collaborateurs, dont trois furent emportés dans l'espace de quatre ans. Le P. V. De Buck, rentré malade du concile, dut renoncer au travail et mourut à son tour, laissant tout le poids de l'œuvre sur des épaules trop faibles pour le soutenir. Ce fut, pendant seize ans environ, une véritable éclipse du bollandisme. La crise eût été mortelle, si le P. V. De Buck n'avait trouvé dans le P. Charles De Smedt un successeur digne de lui.

[1] *Les nouveaux Bollandistes, rapport fait à la Commission royale d'histoire*, dans les *Bulletins de la Commission*, 3e série, t. 2, 74 pages.

CHAPITRE HUITIÈME

LA RÉORGANISATION

La dernière phase de l'œuvre bollandienne nous conduit en pleine histoire contemporaine, et le fait que la génération actuelle a pris part à la réorganisation dont le P. De Smedt fut l'initiateur nous impose une réserve sur laquelle il serait superflu d'insister. Un simple exposé de la marche des travaux durant cette période devra suffire.

Lorsque le P. De Smedt fut appelé, en 1876, à Bruxelles, pour remplir le vide causé par la mort du P. De Buck, il enseignait au collège de Louvain l'histoire ecclésiastique. Il avait, quelques années auparavant, publié dans les *Études religieuses* des articles remarqués, qui furent réunis sous le titre de *Principes de la critique historique* [1], et un peu plus tard, une ample introduction à l'histoire ecclésiastique, qui devait être suivie d'une série de dissertations sur des questions choisies. Le premier volume, les *Dissertationes selectae in primam aetatem historiae ecclesiasticae,* a seul été imprimé [2]. Les autres furent en partie autographiés à l'usage des élèves.

Durant ses années d'enseignement, le P. De Smedt avait suivi de près le progrès des méthodes historiques et l'essor extraordinaire qu'avaient pris les travaux d'érudition dans tous les domaines. Depuis longtemps, il se rendait compte de ce que l'œuvre bollandienne avait à gagner à entrer dans

[1] Liège-Paris, 1883.
[2] Gand, 1876.

les voies nouvellement tracées, et déjà en 1870, ayant constaté que les plans de réforme jugés nécessaires n'avaient pas de chances d'aboutir alors, il avait renoncé à la collaboration qu'on lui avait dès lors demandée. En le rappelant, on reconnaissait la justesse de ses vues. Et, en effet, il était difficile de ne pas voir qu'insensiblement, depuis la reprise de l'œuvre, les conditions du travail s'étaient complètement modifiées. Les bibliothèques et les archives s'ouvraient partout aux travailleurs ou leur assuraient des facilités inconnues jusque-là. Les catalogues et les inventaires se multipliaient, et la fatigue des voyages n'était plus une excuse suffisante pour se passer d'un manuscrit important. Le travail historique mieux organisé dans les universités et dans les écoles nationales contribuait à répandre et à perfectionner les procédés, et l'on comprenait mieux de jour en jour que le point de départ de toute recherche sérieuse doit être un texte bien établi. D'autre part, des branches nouvelles du savoir prenaient alors un développement considérable, et les études de littérature comparée attiraient l'attention sur des documents jusque-là dédaignés. Ne pas se rajeunir, c'était se mettre dans des conditions d'infériorité évidentes et s'exposer à languir au milieu de l'indifférence des générations montantes.

Il restait en manuscrit un volume du mois d'Octobre, le treizième et dernier, conçu à l'ancienne manière. Le P. De Smedt proposa de le mettre simplement au point et de dater la réforme du premier volume des *Acta Sanctorum Novembris*. Ce plan adopté, il se mit aussitôt à la préparation de la nouvelle série, avec les collaborateurs qu'on lui assigna, les PP. Guillaume Van Hooff et Joseph De Backer. Tous deux, après de loyaux services, devaient quitter la plume pour le saint ministère.

Le premier volume parut en 1887. Aux yeux des profanes, il ne tranche pas sur les précédents. La disposition générale est conservée, et la physionomie du « jour » est la même que dans les volumes précédents. Mais deux innovations importantes le distinguent. La première consiste à donner les Actes des saints sous toutes les formes qu'ils affectent dans les manuscrits, sans égard à la valeur historique. Les Actes interpolés, apocryphes ou fabuleux ne sont nullement exclus. On se place résolument au point de vue littéraire et l'on applique avec méthode le principe, qui était celui des anciens, mais que, dans la pratique, ils hésitaient souvent à suivre : faire connaître toute l'hagiographie du saint, en indiquant très exactement la portée de chaque document. C'est ainsi que saint Hubert est représenté par sept Vies bien distinctes, dont le commentaire fixe la valeur et qui permettent de suivre l'évolution de sa biographie.

Un autre progrès se manifeste dans la manière d'éditer les textes. Les hagiographes ne se contentent plus d'un petit nombre de manuscrits que des circonstances favorables ont mis à leur portée. Ils visent à les voir tous, essayent de les classer et relèvent minutieusement les variantes [1]. Nous

[1] On lira avec intérêt les lignes suivantes écrites par Mgr Duchesne lors de l'apparition du tome 1er de Novembre. « Ces jours derniers, je parlais des «Acta sanctorum» à un savant des plus distingués. Il m'interrompit : «Ne me parlez pas des bollandistes, je ne peux pas les sentir.» — «Pourquoi donc ?» — « Parce qu'ils ont de la critique. » — C'est bien ce que tout le monde leur reproche. Pour les uns, leur critique est trop timide, pour les autres elle est trop sévère. Beaucoup d'érudits sont de ce dernier avis. Non qu'ils soient en général très disposés à s'attendrir sur le dégât fait aux traditions hagiographiques ; ce qu'ils regrettent, c'est que, dans bien des cas, les savants éditeurs des « Acta » aient cru devoir exclure de leur immense recueil des productions apocryphes, il est vrai, mais curieuses et intéressantes au point de vue de la littérature, de l'art, de l'histoire elle-même.

« Désormais ce regret ne sera plus formulé, au moins tant que la célèbre publication s'inspirera de l'esprit qui a dirigé les auteurs de ce premier volume de Novembre. Non seulement, on n'exclut aucun texte légendaire, mais on s'efforce de réunir et de classer toutes les éditions connues de chacune de ces légendes. Et ces publications de textes sont faites après dépouillement de tous les manuscrits disons qu'ils essayent de les classer, car bien souvent le caractère spécial de la tradition manuscrite rend illusoire, en hagiographie, un classement rigoureux.

Ces deux points essentiels sont observés dans les volumes suivants et le seront à l'avenir. A mesure que la technique se perfectionnera dans les *Acta Sanctorum* et qu'on s'attachera plus étroitement à la méthode philologique, la collection gagnera en valeur. La proportion des volumes ne tendra pas à diminuer, le nombre des documents ne cessant de croître. L'achèvement de l'œuvre n'en sera pas non plus hâté. L'obligation qu'on s'impose de prendre connaissance d'un grand nombre de manuscrits, dont souvent la dispersion est extrême, la nécessité qui s'ensuit d'en collationner un bon nombre, entraîne un travail considérable, que l'impossibilité des groupements, résultant de l'ordre du calendrier, ne laisse pas d'aggraver. La préparation d'un volume des *Acta Sanctorum* sera donc infiniment plus laborieuse que par le passé, et les beaux temps ne sont plus où un bollandiste pouvait signer dix-huit in-folios.

L'inconvénient de ces majestueuses unités, dont la manœuvre est si difficile, saute aux yeux. L'idée devait venir d'en créer de plus légères et, sans abandonner la série désormais trop avancée pour subir des modifications profondes, de lui adjoindre des volumes d'un format plus maniable et d'une publication plus aisée. Le besoin d'une collection supplémentaire se faisait d'autant plus sentir que l'on n'avait aucun moyen d'écouler un grand nombre de pièces intéressantes qui s'accumulaient dans les tiroirs, lorsqu'elles ne se

accessibles, examen et comparaison des variantes, en un mot, toutes les ressources de la critique textuelle. Nos vieux récits hagiographiques sont traités ici avec un soin tout aussi pieux, quoique différent dans ses manifestations, que celui des copistes et des enlumineurs qui les illustraient au moyen âge dans de splendides volumes de parchemin. » *Bulletin critique*, t. 9 (1888), p. 201.

rapportaient pas aux dates que devaient comprendre les prochains volumes. La plupart d'entre elles semblaient réservées pour le jour lointain où l'on se déciderait à refondre la collection ou à publier les grands suppléments déjà rêvés par Papebroch. Et puis n'était-on pas dans la nécessité d'encombrer les *Acta Sanctorum* d'une foule d'accessoires et de préliminaires, faute d'un recueil destiné à les recevoir? Quelle ressource avait-on pour la publication des travaux d'ensemble auxquels les *Acta* se prêtaient si mal et dont le besoin se faisait de plus en plus sentir?

Les *Analecta Bollandiana*, publiés sous forme de recueil trimestriel depuis 1882, vinrent combler cette lacune. On s'y proposait de publier des textes inédits ou améliorés, en supplément aux volumes déjà terminés des *Acta Sanctorum*, d'y communiquer au public les découvertes que les recherches dans les bibliothèques ne pouvaient manquer d'amener. Il y avait place pour des dissertations, des descriptions de manuscrits, des catalogues, en un mot pour tous les genres de publications qui pouvaient servir à la critique hagiographique.

Le recueil, dont le programme s'inspirait des principes scientifiques qui devaient désormais prévaloir dans l'œuvre, reçut du public lettré un accueil favorable. L'on comprit qu'il constituait un supplément indispensable aux *Acta Sanctorum*, et en peu de temps son existence fut assurée. Ses rédacteurs habituels étaient les bollandistes. Ceux-ci acceptèrent avec reconnaissance des contributions qui leur furent offertes par des savants de tous les pays. Nous citerons, parmi les plus connus, pour la France, H. d'Arbois de Jubainville, Mgr Duchesne, Mgr Batiffol, Max Bonnet, le chanoine Ulysse Chevalier, Mgr Petit, actuellement archevêque d'Athènes, C. Pfister; pour l'Italie, E. Martini, Mgr G. Mercati, Pio Franchi de' Cavalieri, le P. Savio; pour l'Angleterre, le P. Thurston, Charles Plummer; pour l'Irlande, le P. Edm. Hogan ; pour l'Allemagne, B. Krusch, H. Usener ; pour la Russie, Éd. Kurtz ; pour la Belgique, Mgr Abbeloos, G. Kurth, F. Cumont [1].

Le progrès des études historiques, l'intensité toujours croissante de la production littéraire jetaient dans la circulation une foule de travaux se rattachant à l'hagiographie. A côté des livres de pure édification ou des monographies à prétentions savantes, on voyait paraître des textes de Vies de saints établis suivant les dernières méthodes, des articles de revue, des thèses de doctorat dont le sujet était emprunté à ces études, sans compter les travaux d'une portée plus générale dont elles pouvaient souvent tirer profit. Les bollandistes étaient par métier astreints à les lire. Pourquoi ne communiqueraient-ils pas à leurs abonnés le fruit de leurs lectures ? Et n'y avait-il pas à exercer sur la littérature hagiographique contemporaine un travail de contrôle analogue à la critique des textes anciens ? Ces considérations ont décidé de l'adjonction, à chaque numéro des *Analecta*, d'une partie bibliographique. A partir du tome 10 (1891), le *Bulletin des publications hagiographiques* poursuit la tâche de renseigner le lecteur sur le mouvement scientifique dans ses rapports avec les Actes des saints. Les rédacteurs essayent d'analyser les ouvrages avec exactitude, de les apprécier avec impartialité et, tout en évitant de décourager les jeunes talents et les bonnes volontés, signalent les défauts que l'habitude du métier fait aisément découvrir. Le *Bulletin* n'est pas pour eux une source de joie sans mélange. C'est une chaîne, dont le poids s'alourdit tous les jours, et puis, le *genus irritabile* n'étant pas près de s'éteindre, leur libre critique leur rapporte souvent tout autre chose que des bénédictions.

L'étude des manuscrits est la base du travail scientifique. C'est de ce côté que devait se porter le principal effort des

[1] [Cette liste de noms s'arrête, rappelons-le, à l'année 1914.]

nouveaux bollandistes. L'exploration méthodique des bibliothèques fut donc au premier plan de leurs préoccupations, et ils se décidèrent à entreprendre l'inventaire des richesses hagiographiques manuscrites de toutes les bibliothèques de l'Europe — c'est trop peu dire, car il faut les chercher partout où il s'en trouve. Ce travail, qui se poursuivra dans la mesure des ressources de l'œuvre, a donné naissance à la série des *Catalogi codicum hagiographicorum.* Ceux qui ne dépassent pas une certaine étendue prennent place dans les *Analecta.* Quand ils sont trop encombrants, ils font l'objet d'une publication séparée. Le premier catalogue paru dans les *Analecta* fut celui de la bibliothèque communale de Namur. Il n'y a guère de volume de la revue qui n'en renferme quelques-uns. La seconde série s'ouvrit par les deux volumes consacrés aux manuscrits latins de la Bibliothèque royale de Bruxelles. Elle fut continuée par les inventaires des manuscrits latins de la Bibliothèque nationale de Paris, en quatre volumes, de la bibliothèque privée de l'empereur d'Autriche, des manuscrits grecs de la Bibliothèque nationale de Paris, des manuscrits grecs de la Bibliothèque Vaticane, des manuscrits latins des bibliothèques de Rome sans la Vaticane, puis de ceux de la Vaticane, des manuscrits grecs des bibliothèques d'Allemagne, de Belgique et d'Angleterre. Tous ces catalogues sont rédigés sur le même plan. Les manuscrits ont été examinés feuillet par feuillet, et toutes les pièces hagiographiques non seulement notées, mais identifiées, s'il en existe une édition. En appendice à presque tous ces catalogues se trouvent joints des textes inédits trouvés au cours de l'exploration.

Pour décharger les catalogues d'inutiles répétitions et en faciliter l'usage, il manquait un répertoire indiquant avec précision toutes les pièces hagiographiques déjà imprimées et que l'on savait dispersées dans d'innombrables publications. Pareil répertoire rendrait d'ailleurs des services de tout genre et permettrait d'entreprendre les travaux d'ensemble qui supposent l'inventaire complet des sources imprimées. On s'attela à cette besogne et des milliers de volumes furent dépouillés. Le premier résultat de ce travail fut la *Bibliotheca hagiographica graeca*, publiée en 1895. On put voir par le succès de cette publication à quel point le besoin s'en faisait sentir. Bien que s'adressant à une partie restreinte d'un public très spécial, elle fut rapidement épuisée et bientôt une seconde édition s'imposa. Elle parut en 1909. La comparaison des deux éditions est instructive au point de vue de la statistique de l'hagiographie scientifique. Le nombre des textes grecs publiés en ces dernières années est énorme ; il montre avec quel intérêt est cultivée, dans les milieux universitaires, une branche de la littérature longtemps dédaignée. On a souligné dans cette édition un des résultats les plus heureux de la publication des catalogues de manuscrits. Syméon Métaphraste était, en hagiographie, l'homme à la fois le plus célèbre et le moins connu. On le rencontrait à chaque pas, et à tout instant il fallait s'assurer de son identité, décider, entre des textes anonymes, quel était celui qui lui appartenait. Les critères manquaient, malheureusement, pour faire ce discernement, et on se prononçait souvent sur de vagues indices, comme pour se débarrasser d'un personnage encombrant. L'analyse détaillée des ménologes grecs a permis de reconnaître sans effort la collection qui se réclame du nom de Métaphraste, et de la rétablir, pièce par pièce. La *Synopsis Metaphrastica* qui termine la 2e édition de la *Bibliotheca graeca* résume ce travail de restitution.

La *Bibliotheca hagiographica latina*, dont l'impression commença en 1898 et qui fut terminée en 1901, est un travail autrement considérable. Il n'y a pas d'exagération à dire qu'il n'est pas une bibliothèque au monde qui possède tous

[1] [On a noté ci-dessus, p. 45, que ce nombre n'a fait que croître et que la 3e édition, parue en 1957, comporte trois volumes.]

les textes qui y sont enregistrés. Après le dépouillement des collections et des monographies qui exigea plusieurs années, commença la besogne ardue du classement. Il fallut, dans un grand nombre de cas, recourir aux manuscrits pour reconnaître des intermédiaires ou identifier des pièces connues par de simples extraits. Dix ans après, un supplément était nécessaire. Il ne compte pas moins de trois cent cinquante pages et est enrichi d'une table des auteurs qui est appelée à rendre de grands services. Un des articles les plus considérables de la *Bibliotheca* est celui de *Maria Virgo*. Il eût pris des proportions tout à fait anormales si l'on avait tenu compte des innombrables Miracles de la Vierge que l'on rencontre dans les collections et dans les manuscrits isolés. D'ailleurs, les travaux préparatoires furent jugés insuffisants et, pour les entreprendre, il eût fallu remettre indéfiniment la publication de l'ouvrage. L'énorme littérature des Miracles fut donc exclue de cet article, mais fit l'objet d'un index provisoire, publié dans le tome 21 des *Analecta* sous le titre *Miraculorum B. V. Mariae quae saec. vi-xv latine conscripta sunt index postea perficiendus*. Le P. Poncelet, qui le jugeait incomplet, a réussi à y rassembler près de mille huit cents numéros et à donner aux travailleurs un des guides les plus précieux qui existent à travers la littérature pieuse du moyen âge latin.

En 1910, parut la *Bibliotheca hagiographica orientalis*, base indispensable du bollandisme oriental et non moins utile aux études d'hagiographie générale. L'ouvrage, mis sur pied par le P. Peeters et imprimé à Beyrouth, est conçu sur le plan des bibliographies précédentes et donne le résultat du dépouillement de toutes les publications de textes arméniens, syriaques, arabes, coptes, éthiopiens, qu'il a été possible d'atteindre. Provisoirement, la littérature géorgienne a dû être exclue. Il n'était pas possible de la traiter avec la même ampleur que les autres, sans avoir au moins visité les bibliothèques de Saint-Pétersbourg et de

Tiflis. Une loi, alors encore rigoureusement observée, excluait les jésuites du territoire russe.

Le nombre des ouvrages publiés séparément en dehors des *Analecta* — il faut encore y joindre le *Repertorium hymnologicum* du chanoine Ulysse Chevalier — devenait assez considérable pour former une nouvelle série, qui reçut le titre de *Subsidia hagiographica.* Elle compte actuellement vingt volumes, et d'autres sont en projet [1].

Nous avons dit les obstacles que rencontra la réalisation des plans du P. V. De Buck par rapport au martyrologe hiéronymien. Il avait fallu se contenter, à sa mort, d'en publier un seul manuscrit, un des principaux, il est vrai, et le texte du *Bernensis* avait trouvé place dans le tome 8 d'Octobre, en attendant qu'on eût les loisirs voulus et les ressources requises pour préparer une édition critique. Quand ce moment viendrait-il? Allait-on retarder indéfiniment une publication indispensable à quiconque veut approfondir les antiquités chrétiennes? Deux savants illustres, qui honoraient les bollandistes de leur amitié, avaient entre les mains les matériaux nécessaires; ne consentiraient-ils pas à les mettre en œuvre et à faire bénéficier les *Acta Sanctorum* d'un travail qu'eux seuls étaient capables de mener à bonne fin? On le leur demanda, et ils n'hésitèrent pas à se mettre à l'ouvrage. L'édition si longtemps attendue du martyrologe hiéronymien par J.-B. De Rossi et Mgr Duchesne parut dans le tome 2 des *Acta Sanctorum* de Novembre [2].

Un des livres les plus constamment cités dans les travaux d'hagiographie grecque est le synaxaire de Constantinople. Il n'était guère connu que par des extraits et par les notices

[1] [Voir ci-dessous la liste des titres, complétée jusqu'en 1959.]
[2] [Une édition critique avec commentaire, préparée par Dom Quentin, O.S.B., et le P. Delehaye, forma, en 1931, la *pars posterior* du tome 2 de Novembre.]

des ménées, et dans toute cette littérature, représentée par une série nombreuse de manuscrits, régnait la plus grande confusion. La publication du *Synaxarium Ecclesiae Constantinopolitanae,* soit du texte intégral du synaxaire de Sirmond avec des extraits d'autres exemplaires, fut destinée à combler cette lacune. Il parut, en 1902, en un volume séparé, faisant partie de la grande collection, sous le titre de *Propylaeum ad Acta Sanctorum Novembris.*

Le 4 mars 1911, mourait, plein de jours et de mérites, l'homme vénérable qui fut le maître de la dernière génération et dont les qualités morales, non moins que la valeur intellectuelle, avaient été d'un si précieux secours pour tirer l'œuvre bollandienne d'une léthargie inquiétante [1]. En 1895, répondant aux félicitations de ses amis réunis pour fêter sa nomination de correspondant de l'Institut de France, il trouva qu'on lui faisait la part trop belle et, se tournant vers ses collaborateurs, il rappela le mot célèbre : « Je suis leur chef, donc je dois les suivre. » C'était, dans sa bouche, autre chose qu'une spirituelle boutade. Il pouvait se rendre cette justice qu'il n'avait jamais contrarié aucune initiative et il n'était pas de ceux qui, pour embrasser une idée, ont besoin de se persuader qu'ils ont été les premiers à l'avoir. Il ajoutait : « Cette réserve faite, reste le témoignage rendu par le premier corps scientifique de l'Europe à l'œuvre dont le privilège de l'âge m'a fait le président. Ce témoignage, je puis sans remords et sans crainte de scandaliser les saints, en être fier et heureux comme d'un grand honneur pour cette

[1] [Notice nécrologique du P. Charles De Smedt, par le P. Peeters, dans *Anal. Boll.*, t. 30 (1911), p. I-X ; reprise dans *Figures bollandiennes contemporaines* (Bruxelles, 1948), p. 13-26. Voir aussi H. DELEHAYE, *Notice sur la vie et les travaux du P. Charles De Smedt,* dans l'*Annuaire* de l'Académie royale de Belgique, t. 90 (1924), p. 93-121 ; et A. CAUCHIE, *Le R. P. Charles De Smedt, président de la Société des Bollandistes,* dans *Revue d'histoire ecclésiastique,* t. 12 (1911), p. 348-358.]

œuvre, pour la famille religieuse à laquelle elle appartient et à qui je dois tout ce que je suis, et aussi pour notre cher petit pays où elle est née et où elle a grandi. J'oserai même dire qu'elle mérite cet honneur, par les principes qu'elle professe et qu'elle est jalouse de mettre toujours en pratique. Poursuivre et proclamer la vérité historique, et rien que la vérité, malgré les contradictions, les colères, les ennuis de divers genres auxquels cette franchise peut donner lieu, et ne rien négliger pour atteindre à la connaissance de cette vérité, c'est bien notre constante et unique préoccupation [1]. »

Nous pouvons bien le dire sans faire tort à personne, à côté du P. De Smedt, nul n'a rendu de plus grands services à l'œuvre bollandienne que le P. Albert Poncelet, qui, moins d'une année plus tard, devait le suivre dans la tombe [2]. Jamais on ne vit, avec une santé débile, une pareille opiniâtreté au travail, une pareille abnégation pour le bien de l'œuvre sur laquelle il concentrait toutes ses pensées. Uniquement préoccupé de consolider les bases scientifiques de l'hagiographie et d'assurer aux publications de la Société une tenue honorable, il sacrifiait, sans compter, son temps et ses propres travaux. Commencée par le P. De Smedt, la *Bibliotheca hagiographica latina* dut au P. Poncelet sa forme définitive, et nous savons au prix de quel labeur fut forgé cet instrument, qui sera toujours le premier à mettre aux mains de quiconque voudra se faire hagiographe. Attachant, avec raison, le plus grand prix à la continuation de la série des catalogues de manuscrits hagiographiques, le P. Poncelet venait de partir pour une expédition à travers les bibliothèques capitulaires d'Italie. Il avait à peine atteint Mont-

[1] *Souvenir de la manifestation organisée à Bruxelles le 1er avril 1895 en l'honneur du P. Charles De Smedt*, p. 14.

[2] [Notice du P. Albert Poncelet, par le P. Peeters, dans *Anal. Boll.*, t. 31 (1912), p. 129-136 ; reprise dans *Figures bollandiennes contemporaines*, p. 27-37.]

pellier que la mort le frappa, dans la force de l'âge et du talent.

Il ne nous appartient pas de porter un jugement sur le résultat des efforts tentés en ces dernières années pour mettre les *Acta Sanctorum* à la hauteur du progrès. L'unanimité avec laquelle les Académies et les principaux corps savants de tous les pays ont inscrit la nouvelle Société des Bollandistes au nombre de leurs sociétés correspondantes peut être considérée comme une approbation de ses tendances et des moyens mis en œuvre. Les éditeurs des *Acta Sanctorum* trouvent aussi un puissant encouragement dans les services que leur rendent libéralement les administrateurs des grandes bibliothèques, parmi lesquelles ils aiment à citer en première ligne la Bibliothèque nationale de Paris [1] et le British Museum. Enfin des maîtres ont parlé pour leur apporter un suffrage autorisé. Nous pourrions citer, après beaucoup d'autres, les appréciations de Léopold Delisle, rendant compte régulièrement de leurs principales publications [2], de K. Krumbacher, le rénovateur des études byzantines [3], d' Ad. Harnack [4] et de C. H. Turner [5], deux grands connaisseurs de l'antique littérature chrétienne, celle aussi du

[1] Les bollandistes ont tenu à témoigner leur reconnaissance en dédiant à Léopold Delisle, administrateur de la Bibliothèque nationale, le *Propylaeum ad Acta Sanctorum Novembris* (1902).

[2] Par exemple, *Bibliothèque de l'École des Chartes,* t. 51 (1890), p. 532 ; *Comptes rendus de l'Académie des Inscriptions,* 1893, p. 368 ; 1901, p. 860 ; *Journal des Savants,* 1898, p. 744 ; 1900, p. 200.

[3] *Byzantinische Zeitschrift,* t. 9 (1900), p. 573 ; t. 12 (1903), p. 675.

[4] *Geschichte der altchristlichen Literatur,* t. II, 2, p. 463 ; *Theologische Literaturzeitung,* t. 28 (1903), p. 300.

[5] « Of all literary undertakings which the European world has known, the Acta Sanctorum must certainly have had the longest continuous history... Hagiography had earned an ill notoriety as a department of history, but within the last fifty years so complete a revolution has been effected in the principles and methods of the Acta Sanctorum, that an ordinary historian, paradoxical as it may sound, is likely to prove a more lenient judge of the historical value

plus illustre représentant parmi nous des études ecclésiastiques, Mgr Duchesne [1]. Voici le jugement que portait sur l'ensemble de l'œuvre Auguste Molinier :

« Inutile de faire longuement l'éloge d'un ouvrage aussi universellement estimé ; dès les premiers volumes, l'esprit critique apparaît, et les Pères Bolland, Papebroch et Henschenius témoignent pour certaines légendes mal venues d'une sévérité égale à celle des simples laïques ; plus tard, cette critique pourra faiblir ; on a noté dans certains volumes parus au dix-huitième et au dix-neuvième siècle trop de complaisance pour certaines fables grossières, mais dans l'ensemble l'ouvrage fait grand honneur à l'Ordre qui a osé assumer une tâche aussi immense. Aujourd'hui, d'ailleurs, le caractère purement scientifique de l'entreprise s'affirme de plus en plus, soit dans les derniers volumes de la collection, qui répondent aux exigences de la critique moderne la plus sévère, soit dans une publication annexe, les *Analecta Bollandiana*, revue hagiographique de premier ordre [2]. »

Nous ne pouvons passer sous silence un reproche fait aux nouveaux bollandistes, dans certains milieux qui leur sont sympathiques, sans doute, mais où l'on ne semble pas se rendre suffisamment compte des conditions actuelles de la recherche scientifique.

of hagiographical material than the bollandist Fathers. The keynote of the new development was struck by Pères De Buck and De Smedt, and the quarterly publication of the « Analecta Bollandiana », begun in 1882, carries out in detail the business of amplification and rectification. When one reflects on the gigantic nature of their task and on the paucity of their numbers — they are seldom more than four or five, and they have recently lost Père C. De Smedt and Père A. Poncelet — the net result can only be pronounced astonishing. »

[1] Plus haut, p. 151. Voir aussi *Bulletin critique,* t. 11 (1890), p. 121-125, et *Analecta Bollandiana,* t. 30 (1911) p. x.

[2] *Les sources de l'histoire de France,* t. 5 (1904), p. CLXIII-CLXIV. A propos des *Analecta,* Salomon Reinach émit un avis analogue, *Revue archéologique,* 1895, t. 2, p. 228.

Que la succession des volumes in-folio s'espace de plus en plus à mesure que l'on avance, c'est ce qui ne saurait être contesté. Les premiers bollandistes cultivaient un sol vierge, d'une fertilité illimitée, où il suffisait de déposer la semence. Maintenant, il s'agit de creuser à des profondeurs toujours plus grandes et de préparer minutieusement le terrain. Les documents alors se recommandaient par leur nouveauté même, et les conditions générales du travail scientifique ne permettaient guère d'ouvrir sur chacun d'eux des horizons presque indéfinis. Aujourd'hui il n'en est plus ainsi, et les progrès de la critique dans tous les domaines font surgir à tout instant des problèmes nouveaux dont il n'est pas loisible d'ajourner la solution. Souvent aussi, à propos d'un texte, on peut être amené à courir le monde, s'il est de ceux, et ils sont nombreux, qui ont pénétré partout. Si d'autres savants l'ont connu, ce qui est fréquent, il n'est pas permis d'ignorer ce qu'ils en ont pensé et, avant d'énoncer ses propres conclusions, il faut noter celles d'autrui dispersées en vingt volumes, les apprécier si elles en valent la peine, ou se dire mélancoliquement à part soi, en fermant le livre, qu'on a perdu son temps à le lire. En un mot, il est exigé que les textes soient établis et éclaircis à l'aide de toutes les ressources qu'il est possible d'atteindre et que les travaux bénéficient de tous les efforts tentés n'importe où et par n'importe qui. Et c'est ainsi qu'un commentaire, qui pouvait autrefois se construire à l'aide d'une demi-douzaine de volumes, exige aujourd'hui une bibliothèque. Si l'on veut supputer ce que la production effrénée des cent dernières années a ajouté à la littérature historique et religieuse du dix-septième et du dix-huitième siècle, on se rendra mieux compte de la tâche qui est désormais dévolue à la critique hagiographique.

Il n'est pas exact que les travaux entrepris à côté des *Acta Sanctorum* sont un nouvel obstacle au prompt achèvement de la collection. Bien au contraire. Ils s'imposent comme l'unique moyen de déblayer le terrain, outre qu'ils permettent souvent d'anticiper sur les volumes à paraître. C'est ainsi que bien des saints qui attendent leur tour ont leur commentaire à moitié préparé dans les *Analecta* et les *Subsidia*. Il est assez indifférent que les résultats de la recherche s'entassent dans des in-folios plutôt que dans des volumes maniables, qu'une série se développe régulièrement plutôt qu'une autre. Ce qui importe, c'est que la science avance, et les travaux d'approche, d'un caractère plus technique, y contribuent incontestablement beaucoup.

On peut s'en rendre compte en parcourant la liste des thèses d'université présentées en divers pays durant les vingt dernières années. Le nombre des sujets hagiographiques est considérable et contraste étrangement avec le complet dédain que l'on affectait auparavant pour cette branche de la littérature. Les bollandistes ne prétendent pas avoir créé ce mouvement, que bien des circonstances concourent à expliquer. Mais il est certain que des répertoires comme la *Bibliotheca hagiographica* n'y sont pas restés étrangers. Ils ont mis à la portée d'un plus grand nombre des matériaux auparavant peu accessibles. Les équipes de travailleurs se multipliant, il est impossible que le progrès scientifique ne s'affirme pas [1].

[1] [L'ouvrage original se terminait par quelques pages qu'avaient dictées à l'auteur les préoccupations du moment. Au lendemain de la longue tourmente 1914-1918 et au seuil d'un avenir encore incertain, le P. Delehaye exprimait l'espoir que la Société des Bollandistes, touchée sensiblement dans ses membres et gravement compromise dans ses activités, trouverait bientôt les concours indispensables à son relèvement et reprendrait un essor prospère. — N'omettons pas, en terminant, d'évoquer la mémoire des derniers bollandistes défunts. Le P. Joseph Van den Gheyn (1854-1913) fut attaché à l'œuvre pendant près de dix-sept ans, mais acheva sa carrière en qualité de conservateur en chef de la Bibliothèque royale ; lire sa notice, par le P. Peeters, dans *Figures bollandiennes contemporaines*, p. 41-48. Le P. François Van Ortroy mourut le 20 septembre 1917 ; le P. Pee-

ters a esquissé son portrait dans *Anal. Boll.*, t. 39 (1921), p. 5-19 ; repris dans *Figures bollandiennes*, p. 49-66. L'année suivante, jour pour jour, décédait le P. Joseph De Backer, qui depuis quelques années avait renoncé à l'hagiographie ; il était le dernier survivant de la génération qui fonda les *Analecta*. Le P. Hippolyte Delehaye, auteur du présent volume, déposa pour toujours sa plume féconde le 1er avril 1941. Sa notice nécrologique, suivie de la liste de ses travaux, parut en tête du t. 60 de la revue (p. I-LII) ; elle fut réimprimée à la suite de la 4e édition des *Légendes hagiographiques*, parue en 1955, et reprise, sans la bibliographie, dans P. Peeters, *Figures bollandiennes*, p. 67-105. Atteignant, lui aussi, quatre-vingts ans, le P. Paul Peeters est mort le 18 août 1950. Voir son éloge et sa bibliographie, par le P. Paul Devos, dans *Anal. Boll.*, t. 69 (1951), p. I-LIX.]

GUIDE BIBLIOGRAPHIQUE

L'ensemble des publications bollandiennes est considérable et d'une ordonnance générale assez complexe pour créer parfois des embarras aux lecteurs amenés à les consulter et même aux bibliothécaires chargés de les leur fournir. Quelques indications sur les différentes séries et leurs éditions ne seront pas superflues. Laissant de côté la bibliographie détaillée de Rosweyde, qu'on pourra trouver ailleurs [1], nous diviserons cette revue en quatre parties, où il sera parlé successivement des *Acta Sanctorum*, des *Analecta Bollandiana*, des *Subsidia hagiographica* et des principaux travaux hagiographiques des bollandistes non compris dans les séries précédentes. On attirera enfin l'attention du public sur quelques publications que nous appellerons « pseudo-bollandiennes » et sur lesquelles il lui arrive de n'être pas suffisamment renseigné.

I. ACTA SANCTORUM

Il existe trois éditions des *Acta Sanctorum :* l'édition originale commencée à Anvers ; l'édition de Venise ; l'édition de Paris. Aucune de ces trois éditions n'a adopté une tomaison continue [2]. Chaque mois forme une série distincte, qui comprend deux, trois ou un plus grand nombre de volumes. Comme les réimpressions n'ont pas toujours respecté la division de l'édition originale, les citations renvoyant par exemple au tome 8 de la collection seraient insuffisantes ; dans l'édition originale ce volume correspond au tome 3 de Mars, dans celle de Paris au tome 2 du même mois, et ainsi de suite. Pour éviter toute confusion, il faut donc indiquer le mois et le tome de ce mois. On précisera aussi l'édition, du moins s'il ne s'agit pas de l'édition originale.

Voici comment se présentent les exemplaires des diverses éditions.

[1] C. SOMMERVOGEL, *Bibliothèque de la Compagnie de Jésus*, t. 7 (1896), col. 190-207.

[2] Les volumes de l'édition de Paris portent un numéro d'ordre sur la couverture extérieure.

1. Édition originale.

L'édition originale, celle qu'on citera de préférence, se compose actuellement des cinquante volumes imprimés à Anvers, du volume imprimé à Tongerloo et de seize volumes imprimés à Bruxelles [1].

Le dernier volume du mois de Mai, appelé *Propylaeum*, contient le *Conatus chronologico-historicus ad catalogum Romanorum pontificum* de Papebroch ; il parut en plusieurs tranches qui furent distribuées presque toutes avec les volumes précédents.

Les deux dernières parties des tomes 6 et 7 de Juin, réunies, forment le Martyrologe d'Usuard (édition et commentaire), œuvre de J.-B. Sollerius.

Le propylée de Novembre comporte l'édition, par H. Delehaye, du Synaxaire de l'Église de Constantinople.

Le tome 2 de Novembre est ainsi subdivisé : la *pars prior* (1894) s'ouvre par l'édition diplomatique du Martyrologe hiéronymien, due aux soins de J.-B. De Rossi et de L. Duchesne. Le reste du volume comprend les actes des saints des 3 (la suite du t. 1er) et 4 novembre. La *pars posterior* (1931) se compose tout entière de l'édition critique du même martyrologe, par Dom H. Quentin, et du commentaire de ce document, par H. Delehaye.

Le propylée de Décembre reproduit le Martyrologe romain de 1913, en ajoutant, pour chaque notice, un bref commentaire critique et bibliographique.

Le tome 7 d'Octobre, le premier volume d'*Acta* édité par la nouvelle équipe des Bollandistes, avait été commencé par leurs prédécesseurs. Il existe quelques exemplaires des 128 premières pages (voir plus haut, p. 133-134).

Plusieurs volumes de Septembre et d'Octobre ont été réimprimés dans la seconde moitié du XIXe siècle par un éditeur de Bruxelles, Alphonse Greuse [2]. Voici l'ordre chronologique dans lequel parurent ces réimpressions : en 1852, Octobre, t. 5 ; en 1853, Octobre, t. 6 ; en 1856, Octobre, t. 4 et 6 ; en 1857, Septembre, t. 5, et Octobre, t. 3 ; en 1858, Octobre, t. 2 ; en 1859, Octobre, t. 1er. Le t. 8 de Septembre, également réimprimé par Greuse, ne porte pas de millésime.

[1] Il faut y ajouter les 3 fascicules d'*Auctaria Octobris*, également imprimés à Bruxelles : *Auctarium tomi I octobris*, 1859 ; *Auctarium tomi V Octobris*, 1852 ; *Auctarium tomi VI Octobris*, 1853.

[2] Il fut l'imprimeur des trois premiers volumes d'*Acta* publiés après la résurrection de l'œuvre, au siècle dernier, c'est-à-dire des t. 7, 8 et 9 d'Octobre.

Le t. 12 d'Octobre fut réédité à Bruxelles en 1884.

Plus récemment, trois tomes de Novembre ont été reproduits par le procédé anastatique : le t. 2, 1 en 1926, le propylée en 1954 et le t. 3 en 1958.

A diverses époques, mais surtout au XIXe siècle, des tirés à part ont été publiés (par exemple : Vandermoere, *Acta S. Teresiae*, 1845, plus de 700 pp., extrait du t. 7 d'Octobre ; De Smedt, *Acta S. Huberti*, 1887, 176 pp., extrait du t. 1er de Novembre).

Outre les divers index dont chaque volume est muni, deux tables générales furent imprimées. La première couvre le premier semestre et a pour auteur le P. Janninck (tome 7 de Juin). On l'a divisée en deux parties, l'une intitulée *Ephemerides sanctorum*, où les noms des saints sont disposés d'après l'ordre du calendrier ; un choix a été fait parmi les « praetermissi ». L'autre partie est un index alphabétique.

Le P. Ghesquière a rédigé la table générale du trimestre suivant, de Juillet à Septembre (dans le tome 1er d'Octobre), en élargissant le plan. Il commence par décrire sommairement chaque volume. Suivent les *Ephemerides* avec de plus longs développements, puis la table alphabétique. Enfin il dresse la liste des préfaces, dissertations et traités séparés, disséminés dans toute la collection (Janvier à Septembre inclus). On y trouve indiqués, avec les notices biographiques des bollandistes, tous les autres *parerga*, comme les travaux d'ensemble sur les grandes listes épiscopales, etc. Ce catalogue est suivi d'une table développée, *Syllabus*, des matières contenues dans cet ensemble.

Des Tables générales de toute la collection ont été publiées en 1875, en appendice à l'édition de Paris. Voir ci-dessous, p. 170.

2. Édition de Venise.

Commencée en 1734, elle s'arrête, en 1770, au tome 5 de Septembre; elle comprend donc 43 volumes. La distribution des jours et la pagination sont les mêmes que dans l'édition d'Anvers, sauf en ce qui concerne les quatre derniers volumes du mois de Mai. Le tome 4 comprend les jours 17-20 et quelques appendices du tome 7 de l'édition originale ; le tome 5, les jours 21-26 avec une dédicace empruntée au tome 6 ; le tome 6, les jours 27-31 avec des suppléments du tome 7. Le tome 7 est formé par le *Propylaeum*. Comme les autres volumes, il est imprimé à Venise ; mais sur le titre il porte : *Antuerpiae, apud Michaelem Knobbarum. Prostant Venetiis apud Sebastianum Coleti* etc. L'ordonnance du volume a été modifiée selon les vues de Papebroch, et les *addenda et paralipomena* versés dans le texte.

Les éditeurs de Venise n'ont ajouté aucune préface ou dédicace nouvelle à l'édition originale, mais par-ci par-là un avis au lecteur, pour expliquer la méthode adoptée. Voir, par exemple, au tome 4 de Mai, au tome 1er de Juin. Dans le tome 7 de Juillet, les Actes de S. Ignace sont précédés d'une lettre du bollandiste Pien au P. Retz, général de la Compagnie, qui ne se trouvait pas dans la première édition.

En même temps que la réimpression intégrale de l'œuvre bollandienne, on en fit paraître à Venise des extraits sous ce titre : *Praefationes, tractatus, diatribae et exegeses praeliminares atque nonnulla venerandae antiquitatis tum sacrae cum profanae monumenta in Actis sanctorum... nunc primum coniunctim edita,* Venetiis, 1749-1751, 3 volumes in-folio.

L'édition de Venise peut être complétée par les volumes de l'édition originale ou (partiellement) de celle de Paris.

3. Édition de Paris.

A. Les soixante volumes des Acta.

En 1863, l'éditeur parisien Victor Palmé commença une réimpression des *Acta Sanctorum*, à laquelle les bollandistes ne prirent aucune part active et dont il confia la direction à un prêtre du diocèse de Langres, J. Carnandet. Il mena à bonne fin cette grande entreprise. Le tome 11 d'Octobre est daté de 1870. Le tome 12 du même mois porte la date de 1867, qui est celle même de la première édition. C'est le dernier de la série, soit le soixantième. L'éditeur y a ajouté un volume de tables, qui parut en 1875. L'édition de Paris doit se compléter par les volumes de l'édition originale, soit le tome 13 d'Octobre, les volumes de Novembre et le propylée de Décembre.

La distribution des jours dans les différents volumes est la même que dans l'édition d'Anvers, sauf pour les mois de Janvier, Mai et Juin.

Janvier est divisé en trois volumes comprenant respectivement les 1-11, 12-21 et 22-31 du mois. Au tome 2, p. 769, après les *ad-*

denda ad dies 12-21, se trouvent les *addenda ad diem 3 ianuarii*, qui étaient placés dans la première édition à la fin du premier volume ; p. 773, les *addenda ad diem 13*.

Le premier tome de Mai n'embrasse plus que les quatre premiers jours du mois ; le 5 mai est entièrement compris dans le tome 2.

Le mois de Juin est divisé comme suit : t. 1, 1-6 ; t. 2, 7-11 ; t. 3, 12-15 ; t. 4, 16-19 ; t. 5, 20-24 ; t. 6, martyrologe d'Usuard et divers textes tirés des volumes 6 et 7 de la première édition ; t. 7, 25-30, suivis de dissertations et de textes tirés des mêmes volumes 6 et 7. L'*appendix addendorum in 5 tomos Iunii* qui se trouvait dans le tome 6, p. 1-274, a été distribué d'après les jours à la fin de chacun des volumes et fondu avec les appendices qui leur étaient déjà adjoints, ainsi qu'avec les *paralipomena ad t. I* qui, dans l'édition originale, se trouvaient au t. 2, p. LXXI-LXXXVIII.

En général, les fautes d'impression et autres menues erreurs signalées dans les *appendices addendorum* de l'édition originale ont été corrigées dans le texte. Les corrections ou additions plus importantes ont été conservées en appendice et numérotées. Un appel dans la marge renvoie à ces additions.

A tous les tomes de Janvier, de Février, de Mars et d'Avril sont ajoutées des *Animadversiones extemporales Danielis Papebrochii nunc primum ex mss. editae*. Au tome 7 de Juillet figure la lettre du P. Pien, comme dans l'édition de Venise.

La pagination de la première édition a été malheureusement abandonnée dans la nouvelle. Ce n'est qu'à partir du mois d'Août qu'on y est revenu ; et encore les tomes 7 de Septembre et 1 d'Octobre font-ils exception.

En 1906, le t. 6 d'Octobre fut reproduit à Paris, chez Savaète, par le procédé anastatique.

B. Les Indices generales.

Ce volume porte le titre que voici : *Ad Acta Sanctorum supplementum, cura et opera L. M. Rigollot*. Paru en 1875, il est composé de deux parties.

La première n'est autre chose que la série des compléments du P. Victor De Buck et de ses collègues aux volumes 1, 5 et 6 d'Octobre, réunis sous le titre d'*Auctaria Octobris* et munis d'une table.

La seconde est formée des tables générales des *Acta Sanctorum*, jusqu'au tome 12 d'Octobre inclusivement. Elle est précédée d'une préface du P. V. De Buck. Comme dans la table de Ghesquière les index sont précédés d'une description bibliographique de chacun des volumes de l'édition.

Les tables proprement dites sont les suivantes :

1. *Ephemerides universales sanctorum* (p. 3-248).

2. Index alphabétique des saints (p. 251-394), renvoyant à l'édition originale ; en marge est indiquée la concordance avec l'édition de Paris.

3. Liste des saints à traiter dans les *Acta Sanctorum* du 29 octobre au 31 décembre (p. 396-428). Cette liste, revue par le P. V. De Buck, est plus complète que celle qui avait paru en 1838 dans le *De prosecutione operis Bollandiani.*

4. Liste des saints omis jusque-là, faute de documents ou bien faute de preuves de l'existence du culte, et sur lesquels on paraît désormais suffisamment renseigné (p. 429-435).

5. Table des préfaces, dissertations et traités séparés (p. 439-441). C'est la liste de Ghesquière, mise au point en tenant compte des volumes 1 à 12 d'Octobre.

6. Une table des matières sur cet ensemble. Ce n'est autre chose que le *Syllabus* de Ghesquière avec quelques additions portant sur les volumes d'Octobre.

Les tables de Rigollot, sans être parfaites, rendent de bons services, la table alphabétique surtout. A leur défaut, on peut se servir des tables particulières de chaque volume ; il sera utile de faire remarquer, à ce propos, que la liste des saints traités se trouve en tête de chaque volume, tandis que les *praetermissi* sont notés dans la table alphabétique finale.

Un dépouillement complet des *Acta Sanctorum,* pour les saints du moyen âge jusqu'au seuil des temps modernes, se trouve dans la *Bibliotheca historica medii aevi* de Potthast (2e édition, 1896) et dans le *Répertoire des sources historiques du moyen âge* d'Ulysse Chevalier (2e édition, 1905-1907). Une bibliographie spéciale au point de vue de l'histoire des croisades et de l'Orient latin a été dressée par Ch. Kohler : *Rerum et personarum quae in Actis sanctorum et Analectis bollandianis obviae ad Orientem latinum spectant index analyticus,* dans la *Revue de l'Orient latin,* t. 5 (1897), p. 460-561.

Au moyen de ces outils il n'est pas malaisé de se retrouver dans la collection. S'agit-il d'un saint très connu dont on sait la date, on le cherchera directement à son jour. La plupart du temps, il sera plus commode de consulter les listes alphabétiques que nous venons de passer en revue.

Éd. originale			Éd. de Venise			Éd. de Paris			
Janvier									
1	1643	1-15	1	1734		(1)	1	1863	1-11
2	1643	16-31	2	1734		(2)	2	1863	12-21
						(3)	3	1863	22-31
Février									
1	1658	1-6	1	1735		(4)	1	1863	
2	1658	7-16	2	1735		(5)	2	1865	
3	1658	17-29	3	1736		(6)	3	1865	
Mars									
1	1668	1-8	1	1735		(7)	1	1865	
2	1668	9-18	2	1735		(8)	2	1865	
3	1668	19-31	3	1736		(9)	3	1865	
Avril									
1	1675	1-10	1	1737		(10)	1	1866	
2	1675	11-21	2	1738		(11)	2	1866	
3	1675	22-30	3	1738		(12)	3	1866	
Mai									
1	1680	1-5	1	1737	1-5	(13)	1	1866	1-4
2	1680	5-11	2	1738	5-11	(14)	2	1866	5-11
3	1680	12-16	3	1738	12-16	(15)	3	1866	12-16
4	1685	17-19	4	1740	17-20	(16)	4	1866	17-19
5	1685	20-24	5	1740	21-26	(17)	5	1866	20-24
6	1688	25-28	6	1739	27-31	(18)	6	1866	25-28
7	1688	29-31	7	1742	=*Prop.*	(19)	7	1867	29-31
Propyl.	1685-1688					(20)	*Propyl.*	1868	
Juin									
1	1695	1-6	1	1741		(21)	1	1867	1-6
2	1698	7-15	2	1742		(22)	2	1867	7-11
3	1701	16-19	3	1743		(23)	3	1867	12-15
4	1707	20-24	4	1743		(24)	4	1867	16-19
5	1709	25-30	5	1744		(25)	5	1867	20-24
6	1715	Appendices et	6	1745	App. et	(26)	6	1866	= Us.
7	1717	Usuard I-II	7	1746	Usuard	(27)	7	1867	25-30
Juillet									
1	1719	1-3	1	1746		(28)	1	1868	
2	1721	4-9	2	1747		(29)	2	1867	
3	1723	10-14	3	1747		(30)	3	1867	
4	1725	15-19	4	1748		(31)	4	1868	
5	1727	20-24	5	1748		(32)	5	1868	
6	1729	25-28	6	1749		(33)	6	1868	
7	1731	29-31	7	1749		(34)	7	1868	
Aout									
1	1733	1-4	1	1750		(35)	1	1867	
2	1735	5-12	2	1751		(36)	2	1868	
3	1737	13-19	3	1752		(37)	3	1867	
4	1739	20-24	4	1752		(38)	4	1867	

Éd. originale	Éd. de Venise	Éd. de Paris
Aout		
5 1741 25-26	5 1754	(39) 5 1868
6 1743 27-31	6 1753	(40) 6 1868
Septembre		
1 1746 1-3	1 1756	(41) 1 1868
2 1748 4-6	2 1756	(42) 2 1868
3 1750 7-11	3 1761	(43) 3 1868
4 1753 12-14	4 1761	(44) 4 1869
5 1755 15-18	5 1770	(45) 5 1868
6 1757 19-24		(46) 6 1867
7 1760 25-28	Réimpressions	(47) 7 1868
8 1762 29-30	Greuse	(48) 8 1865
	Sept. 5 1857	
Octobre	8 s. a.	
1 1765 1-2		(49) 1 1866
2 1768 3-4	1 1859	(50) 2 1866
3 1770 5-7	2 1858	(51) 3 1868
4[1] 1780 8-9	3 1857	(52) 4 1866
5 1786 10-11	4 1856	(53) 5 1868
6 1794 12-14	5 1852	(54) 6 1869 et 1906
7 1845 15-16	6 {1853, 1856}	(55) 7[2] 1869
8 1853 17-20		(56) 8 1866
9 1858 21-22		(57) 9 1869
10 1861 23-24		(58) 10 1869
11 1864 25-26		(59) 11 1870
12 {1867, 1884} 26-29		(60) 12 1867
13[3] 1883 29-31		Indices Gener. 1875
Novembre		
Prop. {1902, (1954)} = Synax.		
1 1887 1-3		
2,1 {1894, (1926)} 3-4		
2,2 1931 = Mart. Hier.		
3 {1910, (1958)} 5-8		
4 1925 9-10		
Décembre		
Prop. 1940 = Mart. Rom.		

[1] A partir de ce tome, tous les volumes ont été édités à Bruxelles, excepté le t. 6 d'Octobre, publié à Tongerloo.

[2] Le t. 7 d'Octobre est parfois relié en deux volumes.

[3] On lit, au bas de la page de titre de ce volume, l'indication de la firme V. Palmé, à Paris. Ce tome a cependant été imprimé à Bruxelles et fait partie de l'édition originale.

II. ANALECTA BOLLANDIANA

La revue trimestrielle des Bollandistes, formant annuellement un volume d'environ 500 pages, commença à paraître en 1882 sous le titre : *Analecta Bollandiana ediderunt Carolus De Smedt, Gulielmus Van Hooff et Iosephus De Backer.* Le nom du P. Van Hooff disparut de la couverture dès 1888 ; celui du P. De Backer en 1903, celui du P. De Smedt en 1912. A ces trois premiers éditeurs plusieurs viendront successivement s'adjoindre [1]: en 1886, le P. *Charles Houze* (jusqu'en 1889) ; en 1888, le P. *François Van Ortroy* (jusqu'à sa mort en 1917) ; en 1889, le P. *Joseph Van den Gheyn* (jusqu'en 1905) ; en 1892, le P. *Hippolyte Delehaye* († 1941) ; en 1893, le P. *Albert Poncelet* († 1912) ; en 1905, le P. *Paul Peeters* († 1950) ; en 1910, le P. *Charles Van de Vorst* (jusqu'en 1919) ; en 1920, le P. *Robert Lechat* (jusqu'en 1931) ; en 1929, le P. *Maurice Coens;* en 1933, le P. *Baudouin de Gaiffier;* en 1938, le P. *Paul Grosjean;* en 1940, le P. *François Halkin;* en 1947, le P. *Paul Devos*, et en 1956, le P. *Joseph van der Straeten.*

Le premier volume parut sans aucun supplément. A partir du second (1883), on commença à distribuer, dans chaque fascicule, quelques feuilles de divers ouvrages plus considérables qui prirent place, plus tard, dans la série des *Subsidia hagiographica.* Ce sont les numéros 1, 4, 7, 9 de cette série (voir ci-dessous, p. 178) et les tables des tomes 1 à 20 des *Analecta.*

Commencé dans le tome 10 (1891), le *Bulletin des publications hagiographiques* fit partie désormais de presque chacun des numéros de la revue.

La publication du tome 33 (1914) fut interrompue par la première guerre mondiale ; le fascicule 4, qui complète cette année, parut au mois de décembre 1919. Les tomes correspondant aux années de guerre parurent en volumes doubles après le tome 38 (1920) : les tomes 34-35 (1915-1916) en 1921, les tomes 36-37 (1917-1919) en 1922. Lors de la seconde guerre mondiale, la revue eut également à subir quelques retards dans sa périodicité, nonobstant l'obligatoire réduction de son nombre de pages.

En 1950, les collègues et amis du P. Paul Peeters lui offrirent deux volumes de *Mélanges* à l'occasion de son quatre-vingtième anni-

[1] On notera que plus d'un bollandiste a régulièrement collaboré à la revue avant d'être coopté au nombre de ses éditeurs.

versaire ; ce recueil constitue les tomes 67 (1949) et 68 (1950) des *Analecta*.

Outre les textes inédits et les dissertations, les *Analecta* ont publié un certain nombre de travaux que l'on peut considérer comme des instruments destinés aux chercheurs et aux critiques. Les plus importants sont les catalogues de manuscrits hagiographiques. Ceux qui ont pris un développement trop considérable n'ont pas trouvé place dans la revue et ont été publiés à part (voir, ci-dessous, la série des *Subsidia hagiographica*). Nous croyons rendre service en détaillant ceux qui ont paru dans les *Analecta* (là où nous avons pu percer l'anonymat, qui était de règle au début, nous indiquons le nom de l'auteur entre parenthèses).

Voici d'abord les catalogues de manuscrits latins :

Bénévent, chapitre de la cathédrale, t. 51 (1933), p. 337 (A. PONCELET).
Bruges, bibliothèque communale, t. 10 (1891), p. 453.
Bruxelles, bibl. des Bollandistes, t. 24 (1905), p. 425 (H. MORETUS).
Chartres, bibl. publique, t. 8 (1889), p. 86 (C. DE SMEDT).
Cologne, Archives hist., t. 61 (1943), p. 140 (M. COENS).
Douai, bibl. publique, t. 20 (1901), p. 361 (A. PONCELET).
Dublin, Collège de la Trinité et autres bibl., t. 46 (1928), p. 81 (P. GROSJEAN) ; cf. t. 62 (1944), p. 33.
Édimbourg, bibl. nationale et Université, t. 47 (1929), p. 31 (P. GROSJEAN).
Gand, Université, t. 3 (1884), p. 167 ; t. 4 (1885), p. 157 ; t. 20 (1901), p. 198.
Ivrée, Chapitre, t. 41 (1923), p. 326 (A. PONCELET).
La Haye, bibl. royale, t. 6 (1887), p. 161.
La Haye, Musée Meerman-Westr., t. 31 (1912), p. 45 (A. PONCELET).
Le Mans, bibl. publique, t. 12 (1893), p. 43.
Liège, Université, t. 5 (1886), pp. 313, 365.
Milan, bibl. Ambrosienne, t. 11 (1892), p. 205 (F. VAN ORTROY).
Mons, bibl. communale, t. 9 (1890), p. 263.
Mons, bibl. d' A. Wins, t. 12 (1893), p. 409.
Montpellier, Université, t. 34-35 (1915-1916), p. 228 (H. MORETUS).
Namur, bibl. communale, t. 1 (1882), pp. 485, 609 ; t. 2 (1883), pp. 130, 279.
Naples, bibl. nationale et autres, t. 30 (1911), p. 137 (A. PONCELET).

Novare, Chapitre, t. 43 (1925), p. 330 (A. PONCELET).
Osnabruck, Archives et Gymnasium Carolinum, t. 55 (1937), p. 238 (F. HALKIN).
Paderborn, Académie, t. 55 (1937), p. 227 (F. HALKIN).
Rouen, bibl. publique, t. 23 (1904), p. 129 (A. PONCELET).
Saint-Omer, bibl. publique, t. 47 (1929), p. 241 ; t. 49 (1931), p. 102 (R. LECHAT).
Trèves, Séminaire et cathédrale, t. 49 (1931), p. 241 (M. COENS).
Trèves, bibl. communale, t. 52 (1934), p. 157 ; t. 60 (1942), p. 213 (M. COENS).
Turin, bibl. nationale, t. 28 (1909), p. 417 (A. PONCELET).
Vienne, bibl. privée de l'empereur, t. 14 (1895), p. 231 (F. VAN ORTROY et A. PONCELET).
Wurtzbourg, Université, t. 32 (1913), p. 408 (A. PONCELET).

Il faut ajouter à la série des catalogues latins les travaux intitulés : *De Codicibus hagiographicis Iohannis Gielemans*, t. 14 (1895), p. 5 ; *De Magno Legendario Austriaco*, t. 17 (1898), p. 24 ; *De Magno Legendario Bodecensi*, t. 27 (1908), p. 257 ; cf. t. 52 (1934), p. 321.

Les catalogues de manuscrits grecs sont les suivants :

Alexandrie, patriarcat, t. 39 (1921), p. 345 (H. DELEHAYE).
Escurial, t. 28 (1909), p. 353 (H. DELEHAYE).
Halki [1], monastère de la Vierge, t. 20 (1901), p. 45 (J. BOYENS).
Halki [1], école théologique, t. 44 (1926), p. 5 ; t. 46 (1928), p. 158 (H. DELEHAYE).
Holkham [2], bibl. du comte de Leicester, t. 25 (1906), p. 451 (H. DELEHAYE).
Leipzig, bibl. communale, t. 20 (1901), p. 205 (H. DELEHAYE).
Messine, Université, t. 23 (1904), p. 19 (H. DELEHAYE) ; t. 69 (1951), p. 238 (F. HALKIN).
Milan, bibl. Ambrosienne [3], t. 72 (1954), p. 325 (F. HALKIN).
Naples, bibl. nationale, t. 21 (1902), p. 381 (H. DELEHAYE).
Palerme, bibl. nationale et bibl. communale, t. 69 (1951), p. 268 (F. HALKIN).

[1] Les manuscrits de Halki ont été transférés au patriarcat grec d'Istanbul.
[2] Les manuscrits grecs de Holkham Hall ont été acquis par la Bodléienne d'Oxford.
[3] Catalogue partiel.

Rome, bibl. Vaticane (suppl.), t. 21 (1902), p. 5 (H. DELEHAYE).
Rome, bibl. Barberini [1], t. 19 (1900), p. 81 (H. DELEHAYE).
Rome, bibl. Chigi [1], t. 16 (1897), p. 297 (H. DELEHAYE).
Venise, bibl. San Marco, t. 24 (1905), p. 169 (H. DELEHAYE).

Aux catalogues de collections de manuscrits grecs on peut joindre les descriptions de manuscrits isolés :

Baltimore, Walters 521, t. 57 (1939), p. 232 (F. HALKIN).
Glasgow, Univ. BE8*x*5, t. 75 (1957), p. 66 (F. HALKIN).
Gothenbourg, gr. 4, t. 60 (1942), p. 216 (F. HALKIN).
Patmos 179, t. 77 (1959), p. 63 (F. HALKIN).
Patmos 254, t. 72 (1954), p. 15 (F. HALKIN).

Parmi les répertoires nous signalerons encore le catalogue, par le comte de Bourmont, des procès de canonisation conservés à Paris (t. 5, p. 147) ; l'*Index Miraculorum beatae Mariae Virginis*, par A. Poncelet (t. 21, p. 241), complément indispensable de la *Bibliotheca hagiographica latina;* le dépouillement du légendier de Pierre Calo, par le même (t. 29, p. 5) ; le martyrologe de Rhaban Sliba, publié et annoté par P. Peeters (t. 27, p. 129) ; les dissertations du P. de Gaiffier sur le martyrologe et le légendier d'Hermann Greven (t. 54, p. 316), sur l'homiliaire-légendier de Valère en Suisse (t. 73, p. 119), sur les légendiers de Spolète (t. 74, p. 313) ; la contribution du P. M.-H. Laurent, O.P., sur un légendier dominicain peu connu (t. 58, p. 28) ; l'analyse, par le P. Grosjean, du *Codex Gothanus* (t. 58, p. 90) et du Livre d'Armagh (t. 62, p. 33) ; la présentation, par le P. Halkin, de deux synaxaires grecs, celui de Chifflet retrouvé à Troyes (t. 65, p. 61, et t. 66, p. 5) et celui de Christ Church à Oxford (t. 66, p. 59).

Une table des vingt premiers volumes des *Analecta* (1882-1901) a été publiée en 1904 et donnée en appendice aux tomes 22 et 23 de la revue. En 1931 parut, hors série, un second volume d'*Indices* embrassant les tomes 21 à 40 (1902-1922), et en 1944 un troisième volume pour les tomes 41 à 60 (1923-1942).

La plupart des articles publiés dans les *Analecta* ont été tirés à part. La liste des extraits encore disponibles est périodiquement

[1] Les fonds Barberini et Chigi sont maintenant à la Vaticane.

tenue à jour. Elle est envoyée sur demande à tous nos correspondants.

III. SUBSIDIA HAGIOGRAPHICA

Cette série comprend divers ouvrages qui rentrent dans le programme des *Analecta*, mais dont les proportions dépassent le cadre d'une revue. Quelques-uns de ces ouvrages ont été distribués aux abonnés des *Analecta* en guise de supplément. D'autres sont entièrement indépendants. Voici les titres des ouvrages qui ont pris rang parmi les *Subsidia*.

N° 1. *Catalogus codicum hagiographicorum bibliothecae regiae Bruxellensis.* Pars I. Codices latini membranei. Bruxelles, 1886-1889, 2 vol., 614 et 557 pp.

Ce catalogue a été publié en appendice aux tomes 2 à 8 des *Analecta.* On y trouve un bon nombre de textes inédits.

N° 2. *Catalogus codicum hagiographicorum latinorum antiquiorum saeculo XVI qui asservantur in bibliotheca nationali Parisiensi.* Bruxelles, 1889-1893, 4 vol., VIII-606, XV-646, 739 et 101 pp.

Le t. 3 se termine par un très utile dépouillement des *calendriers* conservés dans les bréviaires, missels et autres livres liturgiques manuscrits de la Bibl. nationale. Le t. 4 ne comprend que les *Indices.*

N° 3. *De codicibus hagiographicis Iohannis Gielemans, adiectis anecdotis.* Bruxelles, 1895, 587 pp.

Les 88 premières pages (description des manuscrits) ont paru aussi dans les *Analecta*, tome 14.

N° 3a. *Anecdota ex codicibus hagiographicis Iohannis Gielemans.* Bruxelles, 1895, 496 pp.

Même contenu que le précédent, mais sans la description des manuscrits.

N° 4. U. Chevalier. *Repertorium hymnologicum.* Catalogue des chants, hymnes, proses, séquences, tropes en usage dans l'Église latine depuis les origines jusqu'à nos jours. Louvain, 1892, 1897, 1904, 1912 ; Bruxelles, 1921, 1920. 6 vol., 601, 786, 639, 383, 433 et XLVIII-244 pp. Le dernier volume contient la préface et les tables.

A été publié en appendice aux tomes 8 à 16, 19 à 23, 28 à 37 des *Analecta.*

Nº 5. *Catalogus codicum hagiographicorum graecorum bibliothecae nationalis Parisiensis.* Ediderunt Hagiographi Bollandiani et Henricus Omont. Paris, 1896, viii-372 pp.

Nº 6. *Bibliotheca hagiographica latina* antiquae et mediae aetatis. Bruxelles, 1898-1901, xxxv-1387 pp. Réimpression anastatique en 1949.

L'ouvrage est divisé en deux volumes (A-I, K-Z). Le second volume se termine par un supplément qui recense les publications parues au cours de l'impression. Un nouveau supplément a été publié en 1911. C'est le nº 12 ci-dessous.

Nº 7. *Catalogus codicum hagiographicorum graecorum bibliothecae Vaticanae.* Ediderunt Hagiographi Bollandiani et Pius Franchi de' Cavalieri. Bruxelles, 1899, viii-324 pp.

A été publié en appendice aux tomes 17 et 18 des *Analecta.*

Un supplément à ce catalogue a paru dans les *Analecta,* t. 21, p. 5 et suiv. Les bibliothèques Chigi et Barberini ayant été incorporées à la Vaticane, il faut considérer comme deux autres suppléments les catalogues publiés t. 16, p. 297, et t. 19, p. 81.

Nº 8. (H. Delehaye [1].) *Bibliotheca hagiographica graeca.* Editio altera emendatior. Accedit *Synopsis metaphrastica.* Bruxelles, 1909, xv-299 pp.

La première édition avait paru en 1895. Cf. ci-dessous, p. 187, nº 19.

Nº 8a. F. Halkin. *Bibliotheca hagiographica graeca.* 3e éd. mise à jour et considérablement augmentée. Bruxelles, 1957, 3 vol., xix-284, 322 et 351 pp.

Nº 9. A. Poncelet. *Catalogus codicum hagiographicorum latinorum bibliothecarum Romanarum praeter quam Vaticanae.* Bruxelles, 1909, 523 pp.

A été publié en appendice aux tomes 24-28 des *Analecta.*

Nº 10. (P. Peeters.) *Bibliotheca hagiographica orientalis.* Bruxelles, 1910, xxiii-288 pp. Réimpression anastatique en 1954.

C'est le relevé des Vies de saints anciennes ou médiévales imprimées en arabe, en arménien, en copte, en éthiopien, en syriaque.

[1] Les noms d'auteurs indiqués entre parenthèses ne figurent pas au titre de l'ouvrage.

N° 11. A. PONCELET. *Catalogus codicum hagiographicorum latinorum bibliothecae Vaticanae.* Bruxelles, 1910, VIII-595 pp.

N° 12. (A. PONCELET.) *Bibliotheca hagiographica latina...* Supplementi editio altera auctior. Bruxelles, 1911, VIII-355 pp.

Ce volume complète le n° 6, auquel il ajoute le relevé des textes parus de 1901 à 1911. Pour ne pas compliquer les recherches, le supplément publié en 1901 a été fondu dans celui-ci.

N° 13. C. VAN DE VORST et H. DELEHAYE. *Catalogus codicum hagiographicorum graecorum Germaniae, Belgii, Angliae.* Bruxelles, 1913, VI-415 pp.

Décrit les manuscrits hagiographiques grecs de quarante et une bibliothèques d'Autriche, d'Allemagne, de Suisse, d'Angleterre et d'Irlande, de Belgique, de Hollande et des pays Scandinaves.

N° 13A. H. DELEHAYE. *A travers trois siècles. L'œuvre des Bollandistes. 1615-1915.* Bruxelles, 1920, in-12°, 282 pp.

N° 13A². H. DELEHAYE. *L'œuvre des Bollandistes à travers trois siècles. 1615-1915.* 2e éd. revue, avec un guide bibliographique mis à jour. Bruxelles, 1959, 196 pp.

N° 13B. H. DELEHAYE. *Les Passions des martyrs et les genres littéraires.* Bruxelles, 1921, VIII-448 pp.

N° 14. H. DELEHAYE. *Les saints stylites.* Bruxelles, 1923, CXCV-276 pp.

Histoire de cette forme étrange de l'ascétisme oriental, suivie du texte grec des principales biographies de stylites. Le n° 32 de la présente série est le complément dont la parution était souhaitée par le P. Delehaye dans son avant-propos.

N° 15. C. PLUMMER. *Miscellanea hagiographica Hibernica.* Vitae adhuc ineditae sanctorum Mac Creiche, Naile, Cranat. Accedit *Catalogus Hagiographicus Hiberniae.* Bruxelles, 1925, 288 pp.

Édition de trois Vies gaéliques, avec introduction, traduction anglaise, notes et index. Le reste du volume est un essai de *Bibliotheca hagiographica Hibernica.*

N° 16. Louis PETIT. *Bibliographie des Acolouthies grecques.* Bruxelles, 1926, XL-308 pp.

N° 17. H. DELEHAYE. *Sanctus.* Essai sur le culte des saints dans l'antiquité. Bruxelles, 1927, VIII-266 pp. Réimpression en 1954.

N° 18. H. DELEHAYE. *Les légendes hagiographiques.* 3e éd. revue. Bruxelles, 1927, xv-226 pp.

La première édition avait paru en mars 1905, la seconde en 1906. Voir ci-dessous, p. 187, n° 22.

N° 18a. H. DELEHAYE. *Les légendes hagiographiques.* 4e éd., augmentée d'une notice de l'auteur par Paul PEETERS. Bruxelles, 1955, xv-226-LII pp., portrait.

Le texte est celui de la troisième édition, reproduit anastatiquement. La biographie de l'auteur est suivie du catalogue de ses publications.

N° 19. F. HALKIN. *Sancti Pachomii Vitae graecae.* Bruxelles, 1932, 111*-474 pp.

Documents grecs sur le premier organisateur de la vie cénobitique, le moine copte S. Pachôme († 346).

N° 20. H. DELEHAYE. *Les origines du culte des martyrs.* 2e éd., Bruxelles, 1933, VIII-443 pp.

La première édition avait paru en 1912. Voir ci-dessous, p. 188, n° 27.

N° 21. H. DELEHAYE. *Cinq leçons sur la méthode hagiographique.* Bruxelles, 1934, 147 pp.

Conférences sur les « coordonnées hagiographiques », les récits, les martyrologes, les reliques, les saints dans l'art.

N° 22. P. GROSJEAN. *Henrici VI Angliae regis Miracula postuma.* Bruxelles, 1935, 262*-328 pp.

N° 23. H. DELEHAYE. *Étude sur le légendier romain : les saints de novembre et de décembre.* Bruxelles, 1936, 273 pp.

N° 24. P. PEETERS. *L'œuvre des Bollandistes.* Bruxelles, 1942, 128 pp.

Cette esquisse de l'histoire des Bollandistes réunit et développe deux communications lues par l'auteur aux séances de l'Académie royale de Belgique en 1941. Elle forme le fascicule 4 du tome 39 des *Mémoires* in-8° de la Classe des Lettres.

N° 25. *Catalogus codicum hagiographicorum latinorum in bibliothecis publicis Namurci, Gandae, Leodii et Montibus asservatorum, ampla documentorum appendice instructus.* Bruxelles, 1948, 173-204 pp.

Extraits des tomes 1 à 5 et 9 des *Analecta*, suivis d'un *Index codicum* et d'un *Index sanctorum*.

N° 26. P. Peeters. *Le tréfonds oriental de l'hagiographie byzantine.* Bruxelles, 1950, 236 pp.

Ce « testament scientifique » de l'auteur († 1950) contient six leçons faites au Collège de France en 1943. En appendice : *Traductions et traducteurs dans l'hagiographie orientale à l'époque byzantine*, important mémoire repris aux *Analecta* de 1922.

N° 27. P. Peeters. *Recherches d'histoire et de philologie orientales.* Bruxelles, 1951, 2 vol., 336 et 310 pp.

Faisceau de trente mémoires qu'au cours de sa longue carrière l'auteur avait publiés hors des *Analecta* dans divers périodiques, recueils jubilaires ou Mélanges.

N° 28. W. W. Heist et P. Grosjean. *Vitae Sanctorum Hiberniae ex codice olim Salmanticensi.* Bruxelles, 1960.

Ce recueil de Vies latines, déjà publié en 1888 (cf. ci-dessous, p. 186, n° 16), est réédité ici après une nouvelle collation du manuscrit. Une introduction et un index ont été ajoutés.

N° 29. V. Laurent. *La Vie merveilleuse de saint Pierre d'Atroa († 837).* Bruxelles, 1956, xii-247 pp., 2 cartes.

Texte grec, traduction française et commentaire historique d'un document inédit, plein de renseignements sur le monachisme bithynien et sur la résistance qu'il opposa à la persécution iconoclaste. Voir ci-dessous, n° 31.

N° 30. G. Garitte. *Le calendrier palestino-géorgien du Sinaiticus 34 (xe siècle).* Bruxelles, 1958, 487 pp.

Texte géorgien, traduction latine et commentaire critique d'un calendrier composé en Palestine d'après des livres liturgiques de Jérusalem et de Saint-Sabas, aujourd'hui disparus, mais dont il permet de retrouver maints éléments caractéristiques.

N° 31. V. Laurent. *La Vita retractata et les Miracles posthumes de S. Pierre d'Atroa.* Bruxelles, 1958, 187 pp.

Complément du n° 29. Recension nouvelle, due au même moine Sabas et enrichie par lui d'une série de miracles posthumes.

N° 32. P. van den Ven. *La Vie de saint Syméon stylite le Jeune († 592).* Bruxelles, 1960.

Édition, traduction et commentaire du texte grec contemporain, aussi précieux pour l'historien que pour le philologue. Cf. ci-dessus, nº 14.

Nº 33. É. DE STRYCKER. *La forme la plus ancienne du protévangile de Jacques.* Bruxelles, 1960.

Recherches sur le Papyrus Bodmer 5, avec une édition critique et une traduction du texte grec. En appendice : les versions arméniennes traduites en latin par H. QUECKE.

IV. PUBLICATIONS DIVERSES

La plupart des collaborateurs aux *Acta Sanctorum* ont publié des travaux qui ne font partie d'aucune des catégories précédentes. Notre intention n'est pas de donner ici la bibliographie de tous les bollandistes [1]. Nous nous contenterons de quelques ouvrages utiles à connaître et se rattachant par le sujet à l'œuvre principale.

1. *Acta S. Demetrii myrobletae gloriosi martyris* a Simeone Metaphraste graece scripta... ad graecum exemplar Medicaeum bibliothecae christianissimi regis recensita et graeco-latine excusa. Antverpiae, 1635, petit in-4º, 16 pp.

C'est la première publication hagiographique de Bollandus, qui l'entreprit sans doute pour se faire la main.

2. *De tribus Dagobertis Francorum regibus diatriba* GODEFRIDI HENSCHENII. Antverpiae, 1655, in-4º, 20-254-25 pp.

C'est le développement d'une dissertation parue dans les *Acta Sanctorum*, April. t. 3, p. I-XV.

3. *Brevis notitia Belgii ex Actis Sanctorum Ianuarii et Februarii... excerpta digestaque per provincias.* Antverpiae, 1658, in-8º, 23 pp.

Brevis notitia Galliarum... per episcopatus. Antverpiae, 1658, in-8º, 32 pp.

Brevis notitia Germaniae... per regiones. Antverpiae, 1658, in-8º, 32 pp.

[1] On trouvera la bibliographie de V. De Buck dans C. SOMMERVOGEL, *Bibliothèque de la Compagnie de Jésus*, t. 2 (1891), col. 318-328 ; de C. De Smedt dans l'*Annuaire de l'Académie royale de Belgique*, 90e année (1924), p. 118-121 ; de J. Van den Gheyn dans les *Annales de l'Académie royale d'archéologie de Belgique*, 6e sér., t. 5 (= t. 65, 1913), p. 520-579 ; d'A. Poncelet dans les *Analecta Bollandiana*, t. 31 (1912), p. 136-141 ; d'H. Delehaye, ibid., t. 60 (1942), p. XXXVIII-LII ; de P. Peeters, ibid., t. 69 (1951), p. XLVIII-LIX.

Brevis notitia Hispaniae... per regiones. Antverpiae, 1658, in-8°, 16 pp.

Brevis notitia Italiae... per regiones. Antverpiae, 1658, in-8°, 40 pp.

3a. *Breves notitiae triplicis status ecclesiastici, monastici et saecularis excerptae ex Actis Sanctorum Ianuarii, Februarii et Martii.* Antverpiae, 1668, in-8°, 98 pp.

Cet opuscule se termine par un exposé du but et de la marche de l'œuvre et d'une série de desiderata que l'on recommande à la bienveillance des lecteurs.

4. *Responsio* Danielis papebrochii *ad Exhibitionem errorum per adm. R. P. Sebastianum a S. Paulo evulgatam a. 1693 Coloniae.* Antverpiae, 1696, in-4°, 318 pp. et index.

Une seconde édition, parue la même année, ajoute à ce titre : *Pars prima ad XII priores articulos. Editio 2a ab auctore recognita et nonnihil aucta.* Antverpiae, 1696, in-4°, 352 pp. et index.

5. *Responsio* Danielis Papebrochii *ad Exhibitionem errorum... Pars secunda ad posteriores XII articulos cum articulo XXV de Post-notatis.* Antverpiae, 1697, in-4°, 553 pp. et index.

Ces deux réponses, provoquées par l'ouvrage dont il a été question plus haut (p. 92), ont été réimprimées dans le recueil suivant :

6. *Acta sanctorum Bollandiana apologeticis libris in unum volumen nunc primum contractis vindicata.* Antverpiae, 1755, in-fol., xxvi-1024 pp.

L'auteur anonyme n'est autre que le jésuite F. A. Zaccaria[1]. Malgré l'indication du titre, le volume n'a pas été imprimé à Anvers, mais en Italie, sans doute à Venise.

C'est un recueil des différents opuscules bollandiens qu'avaient fait naître les controverses avec les Carmes et avec les Dominicains. Les *Vindiciae* du P. Cuperus à propos de l'apostolat de S. Jacques en Espagne y ont également trouvé place.

7. *Annales Antverpienses ab urbe condita ad annum* mdcc, auctore Daniele Papebrochio. Ediderunt F. H. Mertens et E. Buschmann. Antverpiae, 1845-1848, 5 vol. in-8°.

Comme l'explique Papebroch dans sa préface, cet important ouvrage est sorti du commentaire sur S. Norbert, apôtre d'Anvers, au t. 1er des *Acta Sanctorum* de Juin. Les recherches entreprises pour le compléter par une courte histoire de l'abbaye de Saint-Michel

[1] Cf. Sommervogel, op. c., t. 8 (1898), col. 1396, n° 45 ; ci-dessus, p. 101.

d'Anvers, une des fondations du saint, avaient amené l'auteur à remuer une foule de documents sur l'histoire locale, dont on n'avait jusque-là tiré aucun parti. Il étendit ses recherches et finit par se trouver en possession des éléments nécessaires pour écrire, sous forme d'annales, comme on aimait à le faire alors, l'histoire de sa ville natale. Ce travail très considérable, interrompu par sa cécité, l'occupa durant les dernières années de sa vie. Il en avait commencé l'impression, et l'on a conservé quelques épreuves corrigées de sa main. Deux savants anversois ont tenu à honneur de ne pas laisser inédit un ouvrage de cette importance dû à leur illustre compatriote. Malheureusement, le manuscrit de Papebroch conservé à la Bibliothèque royale de Bruxelles est incomplet, et l'on n'a pas réussi jusqu'ici à retrouver la trace des parties manquantes.

8. *Réponse de l'Ancien des Bollandistes,* CORNEILLE DE BYE, *au mémoire de M. Des Roches touchant le testament de S. Remi inséré au deuxième tome des Nouveaux mémoires de l'Académie impériale et royale des Sciences et Belles-Lettres établie à Bruxelles, donnés au jour cette année 1780.* Bruxelles, in-8°, 50 pp.

Réplique de l'Ancien des Bollandistes, CORNEILLE DE BYE, *à la lettre de Monsieur Des Roches, secrétaire de l'Académie des Sciences et Belles-Lettres de Bruxelles, écrite au sujet de la Réponse du premier au mémoire de ce dernier sur le testament de S. Remi.* Bruxelles, 1781, in-8°, 119 pp.

Au tome 1 des *Acta Sanctorum* d'Octobre, le P. Suyskens s'était prononcé contre l'authenticité du testament de S. Remi. Des Roches avait pris la défense de cette pièce apocryphe. C'est pour réfuter son mémoire et la lettre provoquée, en 1780, par la *Réponse,* que le P. De Bye prit la plume.

9. *Acta sanctorum Belgii selecta... collegit* Iosephus GHESQUIERUS. T. 1. Bruxellis, 1783, in-4°. Comprend les Vies des saints depuis les origines jusqu'en 531.

T. 2. Bruxellis, 1784. Depuis la mort de S. Remi jusqu'en 654.

T. 3. Bruxellis, 1785. Depuis la mort de S. Bavon jusqu'en 671. Ce volume et les trois suivants en collaboration avec le P. Corneille SMET.

T. 4. Bruxellis, 1787. De 671 à 693.

T. 5. Bruxellis, 1789. De 693 à 709.

T. 6. Tongerloae, 1794. En collaboration avec le chanoine Isfride THYS, prémontré. De 709 à 730.

10. *De prosecutione operis Bollandiani quod Acta Sanctorum inscribitur.* [Bruxellis], 1838, in-8°, 60 pp.

C'est le programme des nouveaux bollandistes, terminé par la liste des saints à traiter dans les volumes suivants des *Acta Sanctorum.*

11. *Vie de Charles-le-Bon,* dissertation du Dr Wegener, traduite du danois par un bollandiste (le P. Van Hecke). S. a. [1843], in-4°, 192 pp.

Ce volume fait partie des publications de la Société d'Émulation de Bruges.

12. *Vita venerabilis servi Dei Ioannis Berchmans e Soc. Iesu italice scripta a P. Virgilio Cepari, latine reddita a P. Hermanno Hugone.* Editio tertia recognita et emendata, cui ampla appendix accessit. Lovanii, 1853, in-8°, 392 pp.

Les nombreuses notes et les appendices sont du bollandiste Éd. Carpentier.

13. *De phialis rubricatis quibus martyrum Romanorum sepulchra dignosci dicuntur observationes* V(ictoris) D(e) B(uck). Bruxellis, 1855, in-8°, 263 pp.

Tiré à petit nombre, ce livre n'a pas été mis dans le commerce. Le même auteur a publié une quantité d'autres opuscules et articles, la plupart de ceux-ci dans les *Précis historiques* de Bruxelles et dans les *Études religieuses* de Paris. Les articles sont souvent signés X. Y. Z. ou Y. Z.

14. C. De Smedt. *Introductio generalis ad historiam ecclesiasticam critice tractandam.* Gandavi, 1876, in-8°, x-533 pp.

C. De Smedt. *Dissertationes selectae in primam aetatem historiae ecclesiasticae.* Gandavi, 1876, in-8°, vii-326-100 pp.

Ce sont les deux premiers volumes du cours d'histoire ecclésiastique professé par le P. De Smedt au scolasticat des Jésuites à Louvain. Du troisième volume ont été imprimées environ 250 pages. Il n'a pas été achevé, et le reste du cours n'existe qu'en autographie.

15. C. De Smedt. *Principes de la critique historique.* Liège-Paris, 1883, in-8°, 292 pp.

Les premiers chapitres avaient paru en 1869 et 1870 dans les *Études religieuses* de Paris. Réunis en volume et complétés, ils formèrent un petit traité qui eut, en son temps, un grand succès.

16. *Acta sanctorum Hiberniae ex codice Salmanticensi* nunc primum integre edita opera Caroli De Smedt et Iosephi De Backer hagiographorum Bollandianorum, auctore et sumptus largiente

Joanne Patricio Marchione Bothae. Edinburgi et Londinii, 1888, in-4°, IV-975 pp.

Ce recueil n'est pas une édition, au sens technique, des Vies latines des saints irlandais, mais une reproduction d'un manuscrit important, ayant appartenu autrefois au Collège irlandais de Salamanque, puis au musée Bollandien, où il portait la cote P. ms. 11. Il est actuellement conservé à la Bibliothèque royale de Belgique, ms. 7672-74. Voir ci-dessus, p. 182, n° 28.

17. F. VAN ORTROY. *Vie du bienheureux martyr Jean Fisher, cardinal, évêque de Rochester († 1535).* Texte anglais et traduction latine du XVIe siècle. Bruxelles, 1893, in-8°, 436 pp.

Extrait des tomes 10 et 12 des *Analecta.*

18. *Vita S. Stanislai Kostka auctore Stanislao Varsevitio.* Ediderunt HAGIOGRAPHI BOLLANDIANI. Bruxellis, 1895, in-8°, 31 pp.

Cette plaquette, tirée à cent exemplaires, rentre dans la catégorie des publications que les Italiens appellent « Per le nozze ». Elle fut éditée à l'occasion d'une fête de famille.

19. (H. DELEHAYE.) *Bibliotheca hagiographica graeca seu elenchus Vitarum sanctorum graece typis impressarum.* Bruxellis, 1895, in-8°, XII-143 pp.

Pour les éditions suivantes, voir ci-dessus, p. 179, n°s 8 et 8a.

20. A. PONCELET. *Annales de l'abbaye de Saint-Ghislain par Dom Pierre Baudry et Dom Augustin Durot. Livres X, XI et XII.* Mons, 1897, in-8°, XXIV-537 pp.

Extrait des *Annales du Cercle archéologique de Mons.*

21. C. DE SMEDT. *Mgr J.-B.-Victor Kinet et les origines de la congrégation des Sœurs de la Providence et de l'Immaculée Conception.* Namur, 1899, in-8°, VI-583 pp.

22. H. DELEHAYE. *Les légendes hagiographiques.* Bruxelles, 1905, in-8°, XI-264 pp.

Les premiers chapitres avaient paru dans la *Revue des questions historiques,* t. 74 (1903).

Deuxième édition, 1906, avec un petit nombre d'additions sans importance. Pour la 3e et la 4e éditions, voir ci-dessus, p. 181, n°s 18 et 18a.

Traduction italienne par Mgr Faraoni (Florence, 1906), avec un appendice extrait du mémoire de W. Meyer, *Die Legende des hl. Albanus.* La seconde édition de la traduction italienne (Florence, 1910) a été revue par l'auteur et a subi quelques retouches. L'appendice de l'édition précédente y a été remplacé par un chapitre complémentaire sur les martyrologes (paru dans les *Analecta*, t. 26, 1907, p. 78-99) ; une table alphabétique a été ajoutée.

Traduction anglaise par Mlle V. M. Crawford, sous le titre de *The Legends of the Saints* (Londres, 1907), avec une table alphabétique.

Traduction allemande par E. A. Stückelberg (Kempten, 1907).

23. H. Delehaye. *Les versions grecques des Actes des martyrs persans sous Sapor II.* Paris, [1905], in-4°, 160 pp.

Fait partie de la *Patrologia Orientalis*, t. 2, fasc. 4.

24. H. Delehaye. *Les légendes grecques des saints militaires.* Paris, 1909, in-8°, ix-271 pp.

Publié sous le patronage de l'Académie des Inscriptions et Belles-Lettres.

25. P. Peeters. *Histoire de Joseph le Charpentier*, rédactions copte et arabe, traduites et annotées, Paris, 1911.

Fait partie de l'édition des *Évangiles apocryphes*, t. 1er (p. 191-245), dans la collection des *Textes et documents* de H. Hemmer et P. Lejay.

26. P. Peeters. *L'évangile de l'Enfance*, rédactions syriaques, arabe et arméniennes, traduites et annotées. Paris, 1914, lix-330 pp.

Forme le tome 2 des *Évangiles apocryphes.*

27. H. Delehaye. *Les origines du culte des martyrs.* Bruxelles, 1912, in-8°, viii-503, pp. Cf. ci-dessus, p. 181, n° 20.

28. H. Delehaye. *Monumenta Latrensia hagiographica.*

Fait partie de la publication entreprise par les musées de Berlin sous le titre de *Milet, Ergebnisse der Ausgrabungen und Untersuchungen seit dem Jahre 1899*, t. 3, fasc. 1 : *Der Latmos* (Berlin, 1913, in-4°), p. 97-176. Outre quelques pièces de moindre importance, la partie hagiographique comprend une nouvelle recension des Vies grecques de S. Paul le jeune et de S. Nicéphore de Milet, ainsi qu'une *Laudatio* inédite de S. Paul.

29. H. Delehaye. *Deux Typica byzantins de l'époque des Paléologues*, Bruxelles, 1921, 213 pp., dans les *Mémoires de l'Académie royale de Belgique*, Classe des Lettres, in-8°, 2e série, t. 13, n° 4.

30. H. Delehaye. *Saint Jean Berchmans. 1599-1621.* Paris, 1921, vi-172 pp., dans la Collection *Les Saints.*

31. P. Peeters. *Figures bollandiennes contemporaines.* Bruxelles, 1948, in-12, 120 pp.

Notices de cinq bollandistes (De Smedt, Poncelet, Van den Gheyn, Van Ortroy, Delehaye) et du P. H. Bosmans.

Il paraît nécessaire de signaler ici trois ouvrages que leur titre a l'air de rattacher aux *Acta Sanctorum.* Ce sont des entreprises de librairie, auxquelles les bollandistes furent entièrement étrangers.

1. *Les Petits Bollandistes.* Vies des saints de l'ancien et du nouveau Testament d'après le Père Giry, les grands Bollandistes, Surius, Ribadeneira, Godescard, Baillet, les hagiologies et les propres de chaque diocèse, par Mgr Paul GUÉRIN. Septième édition. Bar-le-Duc, 1872-1874 ; réimpression, Paris, 1888, 17 vol. in-8°.

Supplément aux Vies des saints et spécialement aux Petits Bollandistes d'après les documents hagiographiques les plus authentiques et les plus récents, par Dom Paul PIOLIN. Paris, s. a., 3 vol. in-8° [1885, 1886, 1903].

Le titre de l'ouvrage de Mgr Guérin, qui débuta en 1858 et dont nous citons l'édition la plus complète, montre assez dans quel esprit il a été conçu. C'est une compilation faite sans discernement avec le seul souci de grouper autour des notices des saints de chaque jour des détails intéressants sur leur culte. On y découvre parfois un renseignement utile, dont on pourra se servir après l'avoir contrôlé. Quant au *Supplément,* on sait que son auteur, Dom Piolin, ne brillait point par l'esprit critique.

2. *Les Actes des saints d'après les Bollandistes, Mabillon et les plus récents hagiographes,* traduits et publiés pour la première fois en français par une Société d'ecclésiastiques sous la direction de MM. J. CARNANDET et J. FÈVRE. Lyon, 1865-1868, 8 vol. in-4°.

Les quatre premiers volumes renferment des préfaces et des introductions générales avec les biographies des bollandistes, le martyrologe romain, le martyrologe d'Usuard d'après l'édition de Du Sollier, etc. Les quatre volumes suivants contiennent les Actes des saints de janvier, du 1er au 11, précédés de la préface de Bollandus.

On se demande à quel besoin pouvait bien répondre cette publication, qui était calculée à 80 volumes in-4°.

3. *Supplément aux Acta Sanctorum pour des Vies de Saints de l'époque mérovingienne,* par l'abbé C. NARBEY. Paris, 2 vol. in-fol., 1899, 1900-1912.

Nous pouvons difficilement reconnaître ce recueil comme un complément des *Acta Sanctorum.* Il n'est destiné à en combler aucune lacune déterminée, et les principes qui ont guidé son auteur sont singulièrement déroutants. On sait que les textes abrégés qui se rencontrent dans les bréviaires, leçons historiques, hymnes, répons, sont souvent plus sobres et renferment moins d'éléments légendaires que les textes anciens dont ils dérivent. Narbey, sur cette bonne impression, les déclare primitifs, sans avoir l'air de se rappeler comment les bréviaires ont été composés et à quelle époque. L'ouvrage répond d'ailleurs si mal à son titre qu'on peut feuilleter tout le premier volume sans rencontrer un seul saint mérovingien.

INDEX

DES NOMS DE PERSONNES

TABLE DES MATIÈRES